每個午夜都住著一個

說故事 X

借胎還魂

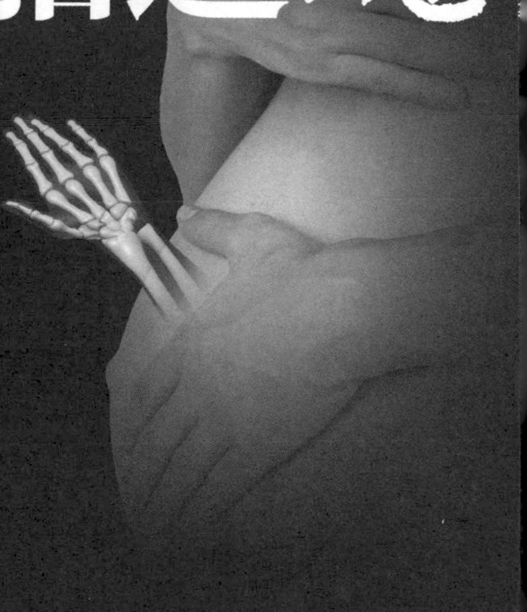

寫在前面的話——

傳說人死之後化為鬼。

鬼者，歸也，其精氣歸於天，肉歸於地，血歸於水，脈歸於澤，聲歸於雷，動作歸於風，眼歸於日月，骨歸於木，筋歸於山，齒歸於石，油膏歸於露，毛髮歸於草，呼吸之氣化為亡靈而歸於幽冥之間（出於《道經》）。

可見，「鬼」這個字的初始意義，已經與我們現在所理解的相去甚遠了。這本書，講述的雖然是詭異故事，但實際上是想將這個字引回原有的意義上——一切有始，一切也有「歸」。好人好事，自有好報；惡人惡行，自有惡懲。

目錄

Contents

「在《百術驅》裏，借胎鬼又叫『借生鬼』，本性屬土。這類鬼具有強烈的『生』的欲望。這個『生』不僅僅是『生存』的『生』，還包括『生產』、『生育』中『生』的意義。當它的生存受到威脅或者破壞的時候，它會通過各種手段保持生命的延續，其中就包括借人的胚胎使用。」

說到這裏，湖南同學挪動了一下坐得僵硬的身子。

一位同學意猶未盡道：「我小時候吃西瓜特別怕吃進西瓜子，因為媽媽嚇唬我說，西瓜子會在我肚子裏生根發芽，然後從肚臍眼裏長出西瓜藤來。沒想到這個故事裏卻能將棗子播進人的肚子裏，真是匪夷所思啊！」

另一同學做了個鬼臉，說：「最恐怖的是居然還要認那棵棗樹做兒子孫子……」

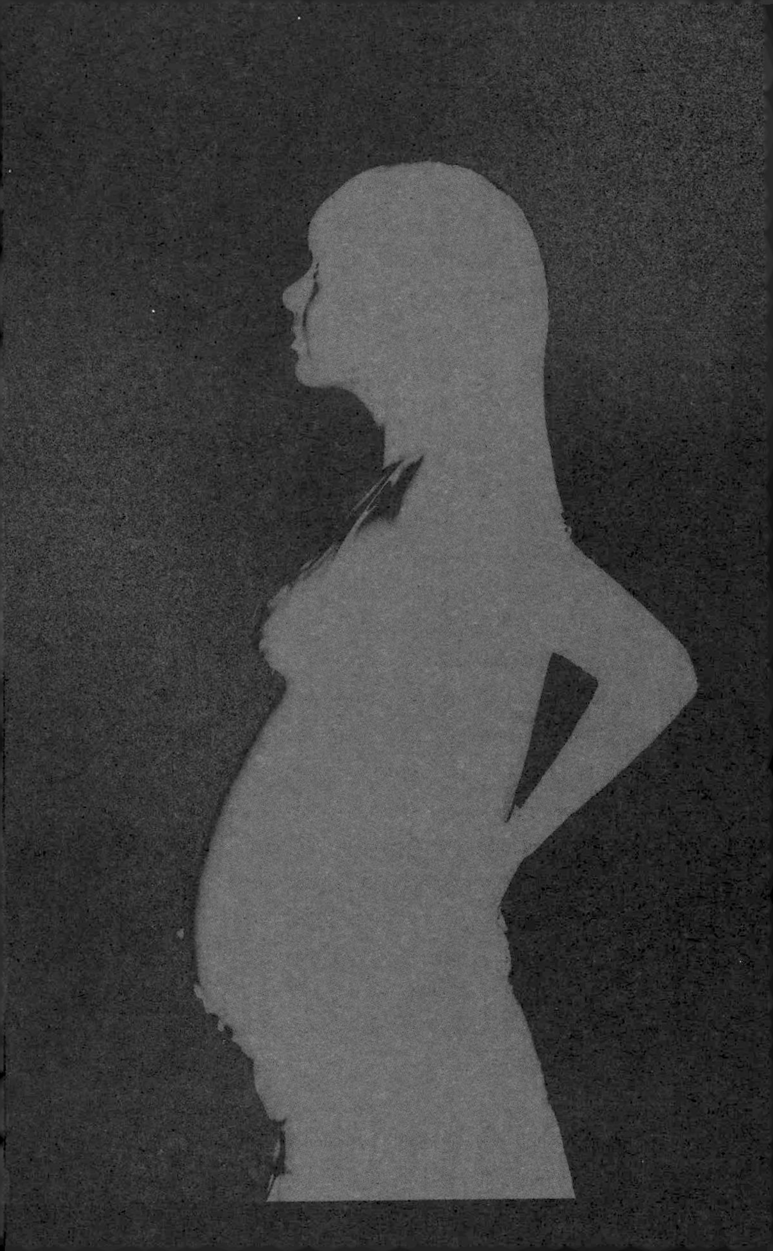

借船

1

鐘錶的指針又重疊在一起了。此時是午夜零點零分。

湖南同學盤腿坐在床上，看了看本宿舍和從別的宿舍過來的同學們，詢問道：「你們之中有誰知道『典妻』嗎？典是字典的典，妻是妻子的妻。」

「是鬼的妻子吧？」一個同學想當然地回答道。

湖南同學笑著搖頭道：「當然不是。『典妻』是古代的一種陋俗。典妻往往可分為兩種：一種是典妻，另一種是租妻。按一般的分法以時間長短來分，時間長的為典妻，時間短的為租妻。這是一種臨時性的婚媾形式，長的也不過兩三年的時間。而時間的長短又往往與孩子生育的情況聯繫在一起，因為大多數典妻者的目的在於要生兒繼嗣，所以典妻又稱為『借肚皮』或『租肚子』。」

「說起來，這與現代社會『借腹生子』有著不少相似之處。」那個搶答的同學說道。

「嗯。今天晚上的故事，也跟典妻有著相似之處……」

爺爺掛好了臘肉，坐回到椅子上，給我講之前來找他的那位老農的事情。

爺爺說，事情很簡單，那位老農的孫女還未出閨，但是經常出現噁心、乾嘔和想吃酸東西的症狀。這分明是懷孕的徵兆。家裡人詢問她是不是跟別的男人有過什麼，可是他的孫女矢口否認。她的父母不相信女兒的話，將堂屋裡鋪滿了貓骨刺，然後關上大門側門，將女兒的衣服脫得只剩薄薄一層，摁倒在地，讓她在堂屋裡的貓骨刺上滾來滾去，越滾越痛，越痛越滾。

即使這樣，老農的孫女仍然沒有說出他們臆想中的缺德男人。

這位老農對爺爺說，孫女小的時候，她父母都在外打工，根本沒有時間照顧她。孫女是老農一手撫養長大的，他比孫女的父母更瞭解孫女的性格。他認為孫女不可能做出這樣見不得人的事，即使做了，也不會這樣守口如瓶。他覺得這其中另有隱情。

他在告訴了楊道士和爺爺「李鐵樹」的所在之後，就一直在村頭的岔路上等他們回來。

這位老農視力不好，加上那時天色已暗，他不管爺爺回來的時候是一個人還是兩個人，衝過去就問：「道士，道士，我在這裡等你好久了。」

爺爺再三解釋那個真正的道士已經從另外一條路回去了，可是老農死死拉住爺爺的衣袖，非得要爺爺幫忙。

我問爺爺：「那你是怎麼辦的呢？」

爺爺聳肩道：「我能有什麼辦法？我只好告訴他，天地交合，才會有花草樹木。人不交合，絕對不可能有孕氣。他的孫女肯定是跟人有染，而他孫女要嘛是為了維護那個男人，要嘛是羞於啟齒。那個老農其實也只是出於僥倖心理才追問我的，其實他自己也不相信女人不跟男人結合就可以懷孕。我跟他說清楚之後，他就快快地走了。我倒是很想幫他，可是當時天色已經很晚了，我急著到你家去落腳歇息。並且，我真的很疲倦了，眼皮開始打架了。」

奶奶在旁笑道：「幸虧你眼皮不爭氣呢！要不然，你哪裡管自己的死活？肯定當下就跟著人家去了。」

後面的事情自然不用多問了，爺爺擺脫老農的糾纏後，拖著步子去了我家，在我家歇息了一晚，第二天才回到畫眉村。

我感覺到那個老農遲早還要找上門來，不過由於奶奶也在場，我沒有把這個想法說出來。也許奶奶早就有了這個預感，只是她也不說出來罷了。甚至爺爺自己也預感到了，但是爺爺也不會說出來。我們三個人就這樣各自明了，但是隱諱不語，保持會心會意卻假裝毫無知覺的默契。

正在說話間，一個村裡人走了進來。爺爺一看，原來是村裡承包水田最多的馬中田。馬中田原名叫馬中天。後來他父親聽當時在世的姥爹說馬中天的八字比較弱，取「中天」這樣的大名怕他承受不了，所以他父親將「中天」改成了「中田」。

沒想到碰巧馬中田長大後對什麼也不感興趣，唯獨愛好種田。「中田」剛好諧音「種田」，不知道是不是冥冥之中的註定。

馬中田種田可得了爺爺不少好處。他每年都會給爺爺送些吃的、用的，表示感激。爺爺自然不接，可是馬中田執拗得要命，爺爺退了他就送來，再退了再送。爺爺只好接受。馬中田自從承包了村裡的水田之後就年年給爺爺送東西。他這次就是提著一個紅色塑膠袋來的。從塑膠袋的形狀來看，裡面裝的肯定是一些必須的年貨。

自然，這些年貨也不是白給，看馬中田那副諂笑討好的樣子就知道。不過爺爺受了人家東西，總會覺得自己做得再多也是欠人家的。爺爺見他來了，忙招呼奶奶去泡茶。

馬中田連忙跨進門來勸止，放下塑膠袋，笑呵呵道：「我是晚輩，哪裡能讓您來忙呢？」他先於奶奶趕到水壺旁邊，給爺爺、奶奶還有我每人倒上一杯茶，然後自己倒了一杯。他捏著杯子笑眯眯走過來，俯身問爺爺道：「我就不多打擾您的時間了。我想問問明年的雨水多還是少，田好種不好種。」

奶奶打趣道：「你等到種田的時候不就知道了嗎？」

馬中田知道年年來這裡奶奶都會打趣他，但是奶奶每年都不會為難他。所以他毫不擔心道：「看您說的，等到那時不就晚了嗎？我來這裡又不是找馬爹捉鬼，不費力氣不費時間的。比起一般的人，我的問題算簡單得多了，是不是？」

奶奶聽他這麼一說，嘆氣道：「要是別人都只問問他雨水什麼的，他倒是要輕鬆多了。我這個外孫也跟著他爺爺瘋，影響了讀書那就不好了。」

馬中田連忙說：「是呀是呀！您外孫跟他爺爺學學天文地理知識，肯定要比現在的課本知識豐富多啦！您真該叫馬爹教教外孫，順便也教點口訣給我。呵呵。」

爺爺道：「現在的考試又不考這些，學了也是白學啊！你先回去吧！到了時候我會告訴你的。你放心吧！」

馬中田見爺爺答應了他，高興地吹了聲口哨，離開了。

我問爺爺道：「他說得也對呀，你為什麼不把口訣教一些給他，讓他自己去琢磨啊？」

爺爺笑道：「說容易，哪裡有幾個簡單口訣就可以解決問題的？」當時我不明白爺爺為什麼這麼說，後來我跟爺爺學了掐算之後才明白，爺爺的口訣很多是我們這代人都理解不了的，更別提掌握了。

「不過算雨水有個最基本的方法，這個倒不難。」爺爺又道，「過了正月就知道了。」

2

「什麼方法？」我驚喜地問道。

「那就是看幾龍治水和幾牛耕田囉！」爺爺漫不經心道。

「幾龍治水？幾牛耕田？」我迷惑不解。

爺爺點點頭，道：「聽起來好像很玄奧，其實道理很簡單。這是根據每年正月第一個辰日在第幾日決定的。辰日就是龍日。如果龍日在正月初五，就叫五龍治水；在初六，就叫六龍治水。以此類推，幾牛耕田就是根據每年正月第一個丑日在第幾日決定的。」

我自作聰明地問道：「龍越多降雨就越多，是吧？」

爺爺笑道：「龍多主旱。龍多了就會遭遇大旱，龍太少了則會遭遇洪水災害。你想想啊，龍是治水的，不是來吐水的。龍越多，證明水越難治理，那就是乾旱的意思囉！」

「那麼幾牛耕田又是怎麼回事呢？」我不敢胡亂猜測了，小心翼翼地問道。

「幾牛耕田也是一樣，牛少一點的好。一牛耕田的話，說明牛費的力氣少，那麼這年的田就好種。牛多了，說明土地瓷實，莊稼很難生長。」爺爺道。

「哦，原來是這樣！」我點頭道。

爺爺說：「但是好多人都以為龍越多，水就越多，或者牛越多，田就好種。對比了龍日和牛日一看，原來不是這樣，進而就懷疑這樣的推算不準，最後就不相信了。當然了，也不能僅僅靠推算龍日和牛日來預測雨水，這只是一個規律。」

聊完這些，我又跟爺爺聊了《百術驅》遺失的事情。爺爺還是沒有找到任何線索，不知道《百術驅》到了什麼人手裡，或者是被我的哪位同學當作垃圾給清理出去了。

奶奶倒是想得開，對我和爺爺道：「這些越是古老的東西，越得講究緣分。既然現在不見了，也許就是緣分到盡頭了。你爺爺和你，以後都不要再碰觸這些東西了。你爺爺呢，好好地養著身子，歇一歇；你呢，好好地讀書，別耽誤了正事。」

然後我們又討論月季。最近她到我的夢裡來的次數更少了，我不知道這是為什麼。爺爺也不加解釋。

爺爺突然問起我關於歪道士的事情。

我搖頭表示最近沒有關注。我的母校很多熟悉的老師已經調到別的地方任教了，因此上高中後回來時很少去母校看一看。其間偶然原因去過一兩次，也只遠遠地看見過那個白髮女人從樓上下來。

只是那個破廟更加頹廢破敗，周圍的荒草更深更密了。如果不是看到一頭白髮、兩彎白眉的女人，過往的人肯定會以為這個房子裡早就沒人居住了。如果遇上懶惰的放牛娃，貪吃的牛肯定會闖進破廟裡大快朵頤。

那次我看見白髮女人從樓上下來，就是來趕一頭莽撞地闖進破廟裡的大牯牛。那頭大牯牛還在破廟門口拉了一堆牛糞。白髮女人怯怯地吆喝驅趕那頭大牯牛，而自始至終我沒有看見歪道士露面。

當看著那個白髮女人戰戰兢兢地驅趕大牯牛的時候，我忽然恍惚看見那個破廟就是爺爺住的老房子。

其實，這樣的幻象已不是第一次出現了。

爺爺說，他聽別人說歪道士早就死了。討債鬼一直在冥界追討它，讓它的靈魂得不到安寧。那個白髮女人則是去唱孝歌安撫歪道士的靈魂的。

我對爺爺說的話表示驚訝。不過自從那次之後，我再也沒有見過歪道士的面，所以也不知道爺爺說的是真是假。那次過年之後，我進入了更加繁忙的高考備考之中，而考上大學之後，我到了遙遠的東北，每年只有寒假回家一趟，更談不上去母校看一看了。

最後，我也不知道歪道士的破廟裡那些搜集回來的孤魂野鬼到哪裡去了。

不過，我猜想要嘛是歪道士臨死之前將它們都渡化了，要嘛就是歪道士死後由那位白髮女人渡化了。

時間過得飛快。轉眼之間，家家戶戶的鞭炮聲都響了起來。門上的對聯、屋簷下的紅燈籠，都肆意地渲染著春節的氣氛。

在我們歡歡喜喜過年的時候，李樹村那位老農家發生了一些事情。當時我在爺爺家過年，老農在他自己家過年。他那裡發生了什麼事情，我這裡一概不知。但是為了敘述的方便，我將老農以及他孫女複述的放到同一個時間來講。

當時正是初一的清晨，星星還沒有完全消失，滿天還是朦朦朧朧一片。但是早起的人們已經迫不及待地將鞭炮點燃了。「劈劈啪啪」的爆炸聲響徹各個角落，硝煙硫黃味也瀰漫在空氣中。

因為大年初一的第一餐非常豐盛，所以大人要在半夜就開始準備。放完迎年的鞭炮，吃完新年的第一頓飯，大人們有的回到床上再睡一覺，有的聚在一塊兒玩撲克牌。孩子們的興奮勁正是高漲的時候，自然不會再回去睡覺，也沒有玩牌的嗜好，就三個一群，四個一夥，在地坪裡放鞭炮或者玩遊戲。

那位老農的孫女十八歲不到，玩心還重著呢！她拿著幾根點完鞭炮的香火，到地坪裡去插香。

正當她蹴身將香扎進鬆軟的泥土裡時，一個白衣飄飄的英俊男子向她走了過來。

這位少女一驚，呆呆地站了起來，手裡的香火一明一滅的。

那個英俊的男子面帶微笑，輕輕拉過她的手。她不知所措，茫然地讓他拉起了自己的手。她的手裡還捏著香。

那個男子將頭俯下，對著香火輕輕地吹了一口氣。香火的蒙灰隨著他的氣息掉落，露出灼熱到幾乎透明的紅點。這位少女就愣愣地傻傻地看著手中的那點紅色，彷彿靈魂出了竅一般。

3

「尋春須是先春早，看花莫待花枝老。縹色玉柔擎，醅浮盞面清。何須頻笑粲，禁苑春歸晚。同醉與閒評，詩隨羯故成。」隨後，那個英俊男子發出一連串的笑聲。笑聲清脆而悠長，如古寺的鐘聲。

少女聽不懂他說的什麼意思，但是卻被他的笑聲吸引，目光遲遲不能從他的臉龐上移開。那個男子的眼眸裡發出星星般的光芒，彷彿離她很遙遠，卻又近在眼前。

「蓬萊院閉天臺女，畫堂畫寢無人語。拋枕翠雲光，繡衣聞異香。潛來珠鎖動，恨覺銀屏夢。臉慢笑盈盈，相看無限情。」那個奇怪的男子又唸出一連串她聽不懂的話，聽得她渾渾噩噩，只覺得耳朵裡鑽進了一隻蒼蠅，嗡嗡嗡的讓人不舒服。

不遠的地方不時有零星的鞭炮聲傳來，可是此時聽來也是模模糊糊，響聲比之前似乎要小了許多。

相反，那個男人的聲音漸漸增大，如村裡的喇叭一般在耳邊聒噪。這聲音從她的耳朵鑽入她的體內，迫使她的心臟「撲通撲通」地跳動，如一頭野蠻而不失柔情的小野獸撞進了懷裡，令她情不自禁雙手護在胸前。

「花明月黯籠輕霧，今宵好向郎邊去！衩襪步香階，手提金縷鞋。畫堂南畔見，一向偎人顫。奴為出來難，教君恣意憐。」那個男子進一步靠近她。她似乎想起了他說的話曾幾何時聽過。可是要想起來是什麼時候聽過的，卻又不能。

「奴為出來難，教君恣意憐。……奴為出來難，教君恣意憐。」她嘴裡跟著複述這一句。這一句給她的印象最深，可是還是想不起到底在什麼時候、什麼地方聽到過。

那個男子拉起了她的另一隻手。

香火從她的手中滑落，暗紅的香火頭扎在潮濕的地面，如將死的螢火蟲一般漸漸失去了光芒，輕悄悄地融入了無邊的昏暗之中。

她看見男子身後跑過了幾個鄰居的孩子。他們歡呼雀躍，欣喜地揮舞著手裡的香火和散裝鞭炮。紅色的香火頭在空氣中畫出奇形怪狀的符號。可是他們似乎根本沒有發現這裡多了一個陌生的男子。如果在平時，這群貪玩的孩子至少會駐足側頭看看這個陌生人。

可是他們沒有。

她驚訝地看著那幾個鄰居的孩子漸行漸遠，又轉回頭來看牽著她的手的男人。那個男人正用一雙熱情似火的眼睛盯著她，彷彿她是一張空白的紙，從上看到下，從左看到右。她不自覺地縮手，可是被那個男子死死拉住。

「晚妝初過。沉檀輕注些兒個，向人微露丁香顆。一曲清歌，暫引櫻桃破。羅袖殘殷色可。杯深旋被香醪洗，繡床斜憑嬌無那。爛嚼紅絨，笑向檀郎唾。」那個男子不緊不慢又唸起了一連串的詩詞。

「沉檀輕注些兒個，向人微露丁香顆。」她又覺得這句話很熟悉，她將詢問的目光投向對面的男子，希望他給出一個解釋。那個男子微笑不語。她兩邊臉頰忽然火燒火燎，心跳也更加急速了。

有什麼事情就直接來吧！何必這樣拐彎抹角。她心裡焦躁道。

這個想法一出，她不禁一驚。我為什麼會這麼想？我和他會有什麼事情？我怎麼會這樣心急？

就在剎那之間，她想起了許許多多已經忘記的事情。她想起了不久前的某個晚上，也是這個男子，也是說這幾句聽不懂的話。

一想起那些，她的臉就更紅更熱了！

「難怪我父母問我有沒有跟別的男人做過那事，原來……」她質問對面的男子，可是心裡的一團火已經熊熊燃燒起來，本來心中有無限怨恨無限責備，話說出來卻全變了味。聽起來倒像是責備這位男子來得太慢，怨恨他們許久沒有見面沒有親密。

耳邊的鞭炮聲越來越模糊，周圍的景物也漸漸退到了夜幕的背面。

「你怎麼能這樣？」她嬌聲問道。她的腦袋裡已經全是二人糾纏在一起的景象。那些景象是她平時羞於啟齒的，平時在雜書中看到都會急忙翻過去的。可是那些景象現在如一臺停止不了的播放機，在她的腦海裡不斷地播映。

那個男子將她摟進懷裡，問道：「尋春須是先春早，看花莫待花枝老。怎麼了？妳不願意嗎？」

她點了點頭，又急忙搖頭。

男子的嘴角勾勒出一個曖昧的笑意，引領著她往地坪外面走。

「我們要到哪裡去？」她有些膽怯地問道。父母氣憤的面容，爺爺的那張哭臉，像秋天的落葉般從她眼前飄過。她一驚，抗拒道：「不行的，我不能去……」

她剛要停住腳步，那個男子摸了摸她的腦袋，她腳下的那股阻止的力量便消失殆盡，不由自主地跟著男子往更深的黑暗裡走去。

不知道走了多久，也許是半個小時，也許只有一分鐘，他們來到了一個她從未見過的地方。四周都是樹，樹與樹靠得緊密。她環視一周，都不知道自己是從哪個方向走進來的。待了一會兒，她又覺得以前來過這個地方。

「這是哪裡？」她忐忑不安地問道。

那個男子終於放開了她的手，道：「妳每來這裡一次，都要重新問一遍。」

她愣了愣，心中尋思道，莫非我以前經常來這裡？可是為什麼我記憶模糊呢？她又想起了自己被父母關在堂屋裡，以及自己在鋪滿地的毛骨刺上滾動的情形，頓時覺得渾身痠脹疼痛。

「不行。」她心急道。她想抬腳離去，雖然她還沒有弄清楚自己是從哪個方向進來的。

「妳走不了啦！妳看看腳下。」那個男子露出一絲邪惡的笑，先前的溫文爾雅不見了。

4

她朝腳下看去，驚奇地發現自己的五根腳趾頭居然撐破了鞋，如破土而出的竹筍一般。她的腳趾如有了生命的蚯蚓，兀自蜿蜒爬動，然後鑽入潮濕的土地。她想要抬起腳，可是已經不能了。腳趾如老樹盤根一般，生生地拉住了她。

「你……」她急得不得了，心裡直後悔跟了他過來，如果當時吆喝一嗓子，也許屋裡的家人就會衝出來，將她救出魔掌。如今在這荒山野嶺，加上四周都是高大樹木包圍，大概再怎麼吆喝也沒有人聽得見。

那個英俊而邪惡的男子慢悠悠地圍著她走了一圈，彷彿得手的獵人正在欣賞臥地待斃的獵物。

她不禁心慌意亂。但是身體內的一股衝動激流暗湧，如一頭按捺不住的水牛的角，拱著她的心臟，挑起她的慾念。她不知道自己是怎麼了，腦袋裡急著要逃離這裡，心裡卻想像著下一步這個男人會對她怎麼樣，隱隱約約之中似乎還有一絲期待。

男人似乎看出了她矛盾的心理，撫掌大笑道：「妳不要急，我都不急，妳急什麼呢？」

她頓時恨不得找個地縫鑽進去。她轉過臉，狠狠地看著那個男子，道：「你到底要幹什麼？」其實她心裡早就知道他要做什麼了，周圍環境令她回憶起了無數曾經遺忘的畫面。她知道自己的肚子為什麼漸漸鼓脹了。她以為自己沒有經歷過那些事，但是事實上她已經經歷過了，並且不只一兩次。

她這樣問男子，只是為了掩飾而已，可是這個掩飾如窗紙一般脆弱而透明，被這個邪惡的男人輕易捅破了。

「我要幹什麼？」男人故意自問道，然後將身上的白衣脫下來，掛在旁邊的一個樹枝上。

她看見了男人健壯如牛的肌肉。

「我要在妳的身體內播下種子。」男人自答道，然後雙手攏在腰間，去解開白色的褲帶。她兩眼盯著死蛇一般的褲帶，納悶他為什麼不繫皮帶，卻要用布條。在李樹村，除了練南拳的李拳師之外，其餘人早都告別了繫布條的習慣。就算她的年老的爺爺，至少也用土紅色的軍皮帶勒住褲子。

「播種？」她嘴巴微張，陡增幾分媚態。她恨自己在這個時候還不急躁還不害怕，心中卻有幾分寧靜。像一件她從來不敢嘗試的事情，她會戰戰兢兢，如履薄冰。但是現在她突然發現那件她從來不敢嘗試的事情實際上已經嘗試過無數次了，甚至有了習以為常的平淡。她驚異於自己的突然轉變。

男人雙手麻利地將白色的褲子也掛在了樹枝上，走上前來，笑道：「是的。」

男人摟住了她，摟得她骨頭發痛。

然後，她在那根翹起的樹枝上發現了自己的衣服……

那年我是在爺爺家過的大年初一，現在我還記得爺爺家爐火的溫度，以及飯鍋上一掛紅色塑膠紙包裝的鞭炮。爺爺說，鞭炮在火上烘乾之後，才能放得更響亮。

可是我總擔心竄起的火苗將鞭炮的藥引點燃，然後在火灶裡炸得一團糟，坐在火灶邊烤火都不安心。

而奶奶卻告訴我和弟弟，大年初一的早晨如果在大門的角落裡或者地坪邊上碰到一個矮矮胖胖的老頭，千萬不要問他的名字，也不要丟引燃的鞭炮嚇他。可是奶奶又不說清楚那個人的來頭。所以我初一早晨不敢太早出門。

放完鞭炮，回到桌上吃飯時，我也是小心翼翼，因為桌上要多擺幾雙筷子和幾個碗，並且在那些碗筷旁邊端端正正地擺上椅子。那是留給故去的先人坐的，讓他們跟我們一起吃飯過年。我伸筷子夾菜的時候很怕搶了先人要夾的菜。

對我來說，初一有很多很多的禁忌。我是萬萬不敢跟一個陌生人走到一個昏暗的地方去的。

爺爺家前有一棵年歲已久的棗樹。每年的春天，在它周圍總會冒出幾棵新芽。爺爺說，棗樹是一種有靈性的樹，所以他從來不將那些新芽砍掉，而是挖出來送給其他想種棗樹的人，或者移植到山上去。

那位老農的家門前原來也有一棵棗樹，年歲跟爺爺家前的差不多。不過，在這年的大年初一，那棵棗樹的枝幹已經在熊熊的火灶裡化為灰燼了。樹根則晾在樓板上，等曬乾了再做他用。

我問爺爺，棗樹為什麼是有靈性的樹。

爺爺說，因為棗樹的名字是黃帝取的。相傳，一個中秋時節，黃帝帶領大臣、侍衛到野外狩獵。走到一個山谷的時候，又渴又飢又疲勞。突然，有個大臣發現半山上有幾棵大樹，樹上結著誘人的果實。大家連忙奔過去，搶先去採摘，吃起來酸中帶甜，分外解渴，疲勞頓解。大家連聲說好，但都不知其名，就請黃帝賜名。黃帝說，此果解了我們的飢勞之困，一路找來不容易，就叫它「找」吧！

後來倉頡造字時，根據該樹有刺的特點，用刺的偏旁疊起來，創造了「棗」字。

在爺爺烘烤鞭炮的時候，那位老農正在燒水。老農的兒子瞄了一眼樓板上的棗樹根，那根曲折盤桓，如一棵倒立起來的樹。爺爺曾對我說，樹根其實也是一棵倒立的樹，以地面為分界，在空氣中延伸生長的樹屬於陽，在泥土裡鑽伸生長的「樹」屬於陰。對於樹，從一定程度上說，地面以上的樹是它的身體，地面以下的「樹」就是它的靈魂。

5

突然「劈啪」一聲，通紅的棗木炭火爆裂，火灶裡濺出無數火星。坐在火灶旁邊的老農躲閃不及，手上臉上沾了好些火星。不過幸好火星落到他身上時已經不怎麼燙了。

老農的兒子和兒媳吃驚不小，連忙走上前詢問老農灼傷哪裡沒有。

就在這時，老農的孫女從外面走了進來，衣裳上沾了些草葉，頭髮和衣服稍顯凌亂，兩眼空洞無神。她像是沒有看見她爺爺和父母親似的，呆呆地直往她的閨房裡走。她的父母親斜睨了她的肚子一眼，輕輕嘆了口氣。

老農拍了拍由火星變成灰燼的髒處，起身問孫女幹什麼去了。由於他知道孫女兒最近情緒不太穩定，所以詢問的時候輕聲細語，生怕引起她強烈的反應。

他的孫女連看都不看他一眼，走進房間並且摔上了門，像是生著誰的氣。老農的兒子追上去，用力地捶門，叫女兒開門。

老農的兒媳怏怏道：「你就隨她去吧！現在是過年，你讓她過兩天安生日子。」說著說著，她的眼淚就盈滿了眼眶，抬起袖子去蹭眼角。老農見了，也不知道該怎麼勸兒媳和兒子才好，只拿了火鉗在火堆裡一頓亂攪，嘴裡罵道：「叫你濺出火星來燙我！叫你濺出火星來燙我！」

這個時候，天已經有些亮了。路上的小孩子漸漸多了起來，每人手裡提著一個布袋或者書包。他們是出來拜年的。

在這裡，要說說我們那塊地方特有的拜年習慣。山東人拜年是要認認真真、恭恭敬敬地磕頭，廣東人拜年的口頭禪是「恭喜發財，紅包拿來」。但是我們那裡拜年既不給人磕頭，也不要紅包。

大人之間拜年，也就拱拱手簡單道聲「拜年」罷了。講究客套的人會多說幾句恭維祝福的話，遞兩根白沙菸。

小孩子則不同。小孩子吃過早飯，三個一群，五個一夥，一起去村裡挨家挨戶拜年。走到別人家的門口大喊一聲：「拜年啦！」然後將隨身攜帶的布袋或者書包張開，等著這戶人家的主人分發糖果或者點心。

等那戶人家將糖果或者點心分到他們手裡，他們便跑到下一家大喊「拜年」，同時又將布袋或者書包張開。如此半天下來，每個小孩子的包包裡都會被各種好吃的裝得滿滿的。

當然了，去別人家拜年前，必須看看人家的門楣上貼的是紅對聯還是黃對聯。如果是紅對聯，大聲喊「拜年」就是了；如果是黃對聯，則要悄悄溜過。因為黃對聯代表這戶人家去年有親人去世，今年的新年要哀悼掛念故人，不能喜慶。

我和弟弟小時候就是這樣拜年的，大年初一拜年得來的糖果夠我們吃到十五元宵節，一直到成年才被剝奪這種特權。成年的人再挨家挨戶去要糖果就不好意思了。滿了十八歲之後，到人家家拜年頂多留下喝杯茶，人家往兜裡塞水果還要假裝說「不要、不要」。

其實現在每次過年回家，我還很想像小時候那樣滿村子跑，滿村子討要喜糖，不是為了能吃壞牙齒的糖果，而是為了那種童趣和懷念。可惜已經不能了。

那年大年初一，我沒有出去討要糖果。我吃完早飯從爺爺家回來，轉換身分，成為坐在一桌糖果面前等待村裡的小孩子前來拜年的人。

李樹村的那位老農一家也坐在一桌糖果旁邊，給每一個前來拜年的小孩子分發糖果。老農叫孫女跟著同齡人出去拜年。像老農的孫女那種歲數，在成年與未成年的模糊階段，去拜年要糖果也可以，不去也行。

老農並不是想孫女多得些糖果吃，而是為了讓她走動走動，散散心。

他的孫女不答話，還是關著閨房門。他的好話說了一籮筐，房間裡也沒見一點動靜。他只好無精打采地回到火灶旁邊，等待一批一批的小孩子。

後來老農說，他是在撥弄了一番火灶裡半死不活的炭火之後才發現屋裡多了一個人的。

那個人站在屋中間，既不叫聲「拜年」，也不討要糖果，只是彎了一對眼睛朝他笑，笑得他渾身不自在。

老農的兒子和兒媳都在裡屋。

老農將悄無聲息進來的男子打量一番，問道：「你不是這個村裡的人吧？我沒有見過你。不過如果你是誰家的親戚，那你進門了也得先拜個年。過年嘛，講個吉利！」

那男子撣了撣白衣上的灰塵，左顧右盼，不答理老農。

老農不高興道：「大過年的，為什麼要穿一身白？走到人家的家裡，人家還會忌諱呢！」老農雖不喜歡這個男子，但是既然是過年，來者都要好好對待。他走到桌子旁，抓了一把糖果往男子懷裡塞，然後急忙將男子往門外推。「好了，該給的糖果也給了，你去下一家吧！」

「下一家？」那個男子終於說話了，「哦，不，不，我不是來討要糖果的，我是來給你東西的。」他露出一絲淺淺的笑，不過臉色灰灰的，讓人提不起精神來。

老農重新將他打量了一番，斜了眼珠子道：「不是來拜年的？還是來給我東西的？」

男子點點頭，很認真的樣子。

老農嘲弄地笑了笑，道：「你都還沒告訴我你是我們村裡哪家人的親戚呢！大年初一只有討喜糖的，哪裡有主動送上門的？你要我玩的吧？」

男子不說話，緊攥了拳頭送到老農的胸前，兩眼定定地看著老農。

老農看了看他的眼睛，又看了看他的拳頭，遲疑地將一雙手捧在他的拳頭下面，像是等著乾涸的水龍頭滴下一滴水來。

6

男子笑了笑，鬆開手，幾顆糖果一般的東西掉了下來，落在老農的手裡。老農連忙接住，由於視力不好，他幾乎將臉埋進了巴掌裡。

原來不是糖果，卻是幾顆乾癟的棗子，皺得像老人頭。

「幹嘛給我棗子？」老農抬起頭來，那個男子卻已經不見了。老農屋前屋後找了一遍，也沒有發現那個奇怪的男子，於是回到桌子旁邊，順手將幾顆棗子放在桌子上，繼續給前來拜年的孩子們分糖果。

等到天色漸漸明朗，老農的兒子、兒媳從裡屋出來，發現桌上多了幾顆棗子，驚訝道：「爹，這幾顆爛棗子是哪裡來的呀？怎麼不把它丟了？」

老農將前因後果講給兒子、兒媳聽。

「棗子棗子，早生貴子。恐怕是預示我們家女兒要生孩子了吧！」兒子失色道，「他是誰？怎麼知道我們家女兒的事？」

老農不以為然道：「大過年的，有誰故意去別人家裡搗亂？不會是你多想了吧？」話雖這麼說，他回頭想想那個男子，確實有幾分詭異，於是心裡也亂得像打鼓似的。他拉了兒子的手，道：「要不，我們去請個道士來？前不久我遇到了楊半仙，我們去他道觀裡求一求，請他做個法事？」

老農的兒子跺腳道：「爹，你不知道楊半仙被一個鬼整得差點賠上命嗎？以前只要出得起錢，他定然是不會拒絕我們的。可是過年前他就像隻烏龜一樣縮在道觀裡不出來，並對外宣稱不再給人驅鬼唸咒了。」

老農想了想，又問道：「那我們去找歪道士吧！雖然我沒有接觸過他，但是聽傳言說，那個道士也是挺厲害的人物，經常去外面收孤魂野鬼。我們提點禮物過去，請他把我們家作祟的髒東西也收了去。怎樣？」

老農的兒媳搖頭道：「爹，那個初中旁邊的歪道士從來不主動捉鬼驅鬼的，他像個苦行僧一樣，走到哪裡就收哪裡的孤魂野鬼，從來沒聽說他收了誰的錢財去誰家幫忙的呢！」

老農的兒子更是強烈反對：「歪道士能稱得上苦行僧嗎？我看是假行僧。」

老農被兒子和兒媳一來二去的話弄得頭暈，他探長了脖子問道：「什麼是苦行僧？什麼是假行僧？」

兒媳搶先道：「破了色戒的僧人就叫假行僧！那個歪道士不是跟著一個白髮女人住一起了嗎？他就是典型的假行僧！」

老農的兒子撇了撇手，解釋道：「不完全是這樣的。苦行僧就是在外面苦苦行走的和尚，他們靠這個雲遊修行，走到哪裡就是哪裡，沒有固定的目的，也沒有固定的方向。假行僧嘛，破了色戒的也算是一種，但是吃肉喝酒的和尚也是假行僧。假行僧嘛，就是假的僧人咯！」

老農的兒子說得其實不對，不過他爹哪裡知道這些？當下點頭不迭。老農的兒子還頗有底氣地斜了他媳婦一眼，他媳婦立即低垂了眉頭做無知的羞愧狀。

苦行僧，是指早期印度一些宗教中以「苦行」為修行手段的僧人，後來漸漸傳入其他國度。「苦行」一詞，梵文原意為「熱」，因為印度氣候炎熱，宗教徒便把受熱做為苦行的主要手段。苦行僧是頭陀的一種，凡是修習頭陀苦行的人，在日常生活中必須嚴守如下十二種修行規定：要選擇空閒的地方、要過托缽的生活、要飲食節量、要一日一食、要乞食不擇貧富、中後不得飲漿、要守三衣具、要穿著糞掃衣、要常坐樹下思維、要常露地靜坐、要住於墳墓之處、要常坐不臥。修學頭陀苦行者的生活，就要過這樣簡單的生活，也是清淨的生活。

假行僧，簡而言之就是指在修行過程中破了戒的僧人。

「那怎麼辦嗎？」老農攤開雙手問道，將那雙迷茫的眼睛看向兒子、兒媳。

三個人都沉默了。女兒的閨房從女兒進門之後就一直保持著安靜。

沉默了好一會兒，兒媳才像剛出洞的老鼠一般看了看丈夫和公公，怯怯道：「要不我們去找找畫眉村的馬師傅吧！」說完，她忙收回了目光，重新低下睫毛。

老農驚訝道：「妳是說去找那個畫眉村的道士？我遇見過他。他前一陣子來過我們村，還問了李鐵樹怎麼走。」

他兒媳笑道：「爹，您見過他？他不是道士，是種田打土的人，跟您沒什麼差別。」

他兒子不滿道：「既然也是爹這樣的人，那叫他來幫什麼忙？我們農田裡又不缺少勞力。妳真是糊塗！」說完，他彈出一根菸點上，腿抽筋似的抖動，擺出一副家庭主人的模樣。

老農的兒媳害怕似的道：「我還在家做姑娘的時候，就聽說畫眉村有個厲害的人物，平時只在家裡種田打土，但是有人請他幫忙做法事，他是從來不會拒絕的。他從來不收人錢財，你給他他還不好意思要呢！」

老農的兒子皺眉道：「妳說大話不怕閃了舌頭？現在有這樣的人嗎？誰不是扼住了別人的脖子找人要錢？」

老農插話道：「這樣吧！不管他是不是要錢的人，我們都去試一試。我就相信咱孫女不可能做出那種醜事來。就算他要錢，只要價格合理，我們也不是出不起。」隨後，他看著兒子道：「你說對不對？」

老農的兒子抽下嘴邊的菸，狠狠地扔在地上，像是要下一個很大的決心似的將腳踩在菸頭上：「對！」

老農的兒媳喜色剛上臉，老農的兒子又怯怯問道：「現在過年，求人驅鬼消災會不會不好？」

7

老農的孫女在裡屋迷迷糊糊聽見爺爺在跟一個什麼人說話，那個人的聲音似曾相識，卻又不甚清楚。

她低頭看見身上沾了幾根枯草，心想道，我不過是去地坪裡插了幾炷香，怎麼會弄一身草呢？

正這麼想著，她聽見爺爺的腳步聲繞著房子走了一圈，像是要去尋找什麼東西。爺爺的腳步她太熟悉了，縱使其間夾雜著鞭炮聲、小孩子的吆喝聲，還有貓狗雞鴨偶爾發出的鳴叫聲，但是爺爺的腳步聲如一塊石頭不溶於渾水一般在她的耳朵裡清晰可見。

她感覺身下某個部位有些不舒服，濕濕的，黏黏的，如同撒了胡椒一般。那裡面還隱隱作痛，彷彿被貓骨刺劃過，又彷彿是抹了辣椒。總之，那種感覺讓她渾身不自在。

細細一想，插香之後幹了些什麼，卻又想不起來。好像插完香就回來了，又好像還做了其他的什麼事。

她越想，腦袋就越重，如同灌滿了醬糊。腦袋一晃，那裡面的醬糊就跟著咕嘟咕嘟響。真是奇怪了，我怎麼會這樣呢？

她感覺有些睏了，於是瞇上眼睛，靠著床沿休息。

「妳很累嗎？」忽然一個聲音飄到耳邊，正是剛才跟爺爺說話的那個聲音。她仍然想不起來還在什麼地方聽到過這種聲音。不過她一點也不緊張。

她微微睜開眼，一個白衣飄飄的男子站在她的床邊，臉上的笑如一朵花，有些美，還有些枯萎。讓她看了心裡涼涼的。

「我爺爺在幹什麼？他不給來拜年的小孩子分糖果了嗎？」她像詢問親人一樣詢問著這個陌生男子。她擔心地朝窗口望了望，想站起身來，可是覺得連站起來的力氣都沒有。她嘆了一口氣，懶懶地依靠在床邊的木欄杆上，懶懶地看著面前的男子。

男子道：「他在找我呢！」

「找你？找你幹什麼？」她懶洋洋地問道。

男子詭秘地一笑，緩緩道：「我給了他幾顆棗子，所以他就要找我囉！」

說完，他伸出手來，在她的臉上輕輕撫摸。

她沒有躲避，輕聲道：「你的手好乾。小時候一定做過很多苦力，手掌上很多老繭呢！」再後來她清醒了，記得很多事情了，她仍然對爺爺說，那個男子手上肯定長著厚厚的繭，粗糙得如同磨砂紙。

男子淡然一笑，臉上像落了一層灰似的，道：「因為我失水呀！妳看那些樹上的蘋果，晶瑩剔透，飽滿可愛，但是離開樹枝一段時間後，就容易失水，變得皺皺巴巴，嚼起來都沒勁道。」他的手離開了她的臉，到達了她的下巴。

她「哦」了一聲，又問道：「離開樹的蘋果會失水，離開根的樹會失水，但是沒有聽說過人的手也可以失水哦！」她感覺到那乾枯的手順著下巴到了脖子上，她感覺它還要滑下去，不禁微微有些緊張，呼吸有些急促。她暗暗希望爺爺會找到她的房間裡來，又隱隱害怕爺爺找到這裡來。

男子答道：「不怕不怕，我不怕失水。因為我在妳的身體裡播下了種子。我的種子會滋潤起來，生長起來的。」

「我的身體內？」她順著他的胳膊往下看，看到他游移的手掌，又看見了她自己的肚子。此時，她的肚子彷彿被男子施了魔法，漸漸鼓脹起來，比昨天要明顯地凸出許多了。很快，她覺得肚子裡有一股脹氣，如果說她的肚皮是波瀾不驚的湖面，那麼那股脹氣就是湖面下的暗流急湧。

「我的肚子裡是什麼東西？」她將目光由肚皮移到男子的臉上。

男子目光柔柔的，道：「是棗子。」

「棗子？」她渾身一顫，「我的肚子裡為什麼會有棗子？是你放進去的嗎？什麼時候放進去的？」

男子笑笑，並不回答。

「你為什麼要放棗子到我肚子裡？」她問道。

男子答道：「因為我要死了。」

「你要死了？」她心裡「咯噔」一下，那顆脆弱的心臟幾乎要從嗓子眼裡跳出來，「你生病了嗎？怎麼要死了呢？」她害怕這個男子突然從眼前消失，將她肚子裡的棗子置之不理，讓她獨自去面對父母，去面對關愛她、相信她的爺爺。

「是你的父母，你的爺爺，」他眼神黯然，「是他們要將我逼死的。」

「是因為他們知道了我們之間的事情嗎？」她天真地問道，「他們真的很生氣呢！我爸媽用貓骨刺扎我，我渾身被扎得又痛又脹。但是我爺爺相信我，為我求情。」

男子搖頭道：「他們還不知道我，就妳知道。但是我走之後，妳會不記得我了。」

「不會的，我記得你。」她急急道。

「妳不會的。我在妳家門前站了那麼多年，妳都從來不認識我，不記得我。」他的目光躍過窗戶，看著外面空曠的地坪。

她記得，以前的每次過年，她都會看見一個剪影一般的棗樹，張牙舞爪地撲在她的紗窗上。不僅僅是過年，每個月華如雪的晚上，那棵棗樹的影子也會抵達她的床邊。但是現在，外面好像突然之間空曠了。

她不說話了，低頭去看自己的肚子。她用手輕輕拍打，發出「嘭嘭」的聲音，如同敲打一面緊繃的牛皮鼓。她在某個葬禮上偷偷敲打過那種鼓。

「太陽就要出山了，我也要走了。」男子收起了手，轉過身去。

她剛要叫住他，問他什麼時候再來，可是眼前的男子早已消失了。房子裡空空的，門上的木栓是拴著的。

堂屋裡響起了爺爺跟父母親討論的聲音。他們好像是為要請一個什麼人來爭執不休。

8

她側耳傾聽，只聽到「畫眉」兩個字。

畫眉？他們說的是畫眉鳥嗎？他們幾個人別的不談，為什麼突然談起鳥來了？要知道，她的父母都是不喜歡鳥類的人，屋簷下和堂屋裡原本有兩個燕子窩的，都被她父母用晾衣竿捅了。爺爺勸說燕子進屋是好事，可是她父母討厭燕子唧唧喳喳。

畫眉她是知道的。牠是一種羽毛高雅、個頭適中、外形美觀、具有美好歌喉、能鳴善鬥的鳥類。畫眉身體修長，略呈兩頭尖中間大的梭子形，具有流線型的外廓。畫眉一般上體羽毛呈橄欖色，下腹羽毛呈綠褐色或黃褐色，下腹部中心小部分羽毛呈灰白色，沒有斑紋；頭、胸、頸部的羽毛和尾羽顏色較深，並有玄色條紋或橫紋。牠的眼圈為白色，眼邊各有一條白眉，勻稱地由前向後延伸，並多呈蛾眉狀，十分好看，故得此名。

她還知道一個關於「畫眉」名字的由來。相傳在春秋時期，吳國滅亡後，范蠡和西施為了避免被越王勾踐殺害，化名隱居在德清縣蠡山下的一座石橋附近。每天清晨和傍晚，愛美的西施都要到附近的一座石橋上，以水當鏡，照鏡畫眉，把兩條眉毛畫得彎彎的，格外好看。一天，有一群黃褐色的小鳥飛過石橋，來到她身邊不停地歡唱著。牠們見西施在畫眉，越畫越好看，便互相用尖喙畫對方的眉毛。不多時，牠們居然也「畫」出眉來了。

范蠡見西施畫眉時總有一群小鳥在陪伴著她，好生奇怪，便問西施：「這群小鳥，長得這樣好看，叫得這樣好聽，似乎和妳結下了不解之緣，不知叫什麼鳥？」西施笑答：「你沒有看見嗎？我畫眉，牠們也畫眉，就叫牠們『畫眉』吧！」就這樣，「畫眉」這個美稱就自此世代相傳，並一直沿襲至今。

而我弄不清爺爺的村子為什麼叫畫眉村。像我家常山村，是因為村中有一座最高的山叫做常山；像洪家段，是因為那裡的人都姓洪。

我沒有問過爺爺，只問過奶奶。奶奶說：「馬家的一輩又一輩人都這麼叫，自有他的道理。就這麼叫著唄！」

老農的孫女拉開門，正要詢問，她的爺爺見孫女的門開了，連忙問道：「孫女，妳怎麼啦？臉色這麼難看？」

「臉色難看？」他的孫女摸摸自己的臉，茫然道。

她的爺爺心疼地走了過來，探了探她的額頭，關心道：「妳出來幹嘛？既然不舒服，就到屋裡多休息一會兒，大過年的，別把身子弄壞了。」說完，他要將孫女往屋裡推。

他孫女急忙拽緊門把，道：「爺爺，我有事要問你呢！」

老農「哦」了一聲，說道：「好吧！妳要問什麼？」她的爺爺一雙蒼老而溫和的眼睛盯著她，比陽春三月的陽光還要溫馨暖和。而相較之下，她們父母卻沒有這樣的親近親切。

「我……」她以手護額，想了半天。

「妳不是有問題要問嗎？妳快說，說完了去休息。」爺爺催促道。

「我……我……我想問……」她結結巴巴道。一時之間，她竟然忘記了自己要問什麼了。她努力地思索剛才的情形，卻找不到一點頭緒。我要做什麼呢？剛剛在屋裡做了什麼？是什麼東西促使我走到門口來跟爺爺說話？她的腦子裡一片空白，如同電影播映前的幕布，只有星星點點跳躍的黑點，沒有任何成形的圖像。

「妳怎麼了啦？」她的爺爺狐疑地看著表現不正常的她，雙手要抓住什麼似的握成空心的爪狀。

她抬起疲憊的眼皮，幽怨道：「爺爺，我記不起我要問什麼了。剛剛我還清清楚楚的，怎麼一下子什麼想法都沒有了呢？」

老農連忙扶住孫女，安慰道：「哦，那好。妳先安心休息吧。什麼時候想起來了就什麼時候問我。」

她無可奈何地搖了搖頭，看見她的父母冷冰冰的目光，急忙縮回到屋裡。

老農輕輕關上門，返身對兒子、兒媳道：「你們兩個看看，你們的女兒被折磨成啥樣子了！」

他的兒子指著裡屋狠狠地說道：「誰叫她背著我們……」

「好了！」老農不耐煩地揮了揮那雙皮膚粗糙的手，制止兒子繼續說下去。他那雙眉毛擠到一起，拱出一個溝溝壑壑的地形來，像極了他生活了一輩子的山地。他的步子第一次顯出蒼老的資訊，蹣跚得如同行走在齊膝的草地裡，腳下的草根絆住了他的腳。

老農的兒子被噎住，說不出話來。

老農深深地吸了一口氣，緩緩吐出，道：「今天是大年初一，無論如何不能因為自己的事情就去打擾人家。」

「那明天去？」老農的兒子急問道。

「初二也不行。初二一般嫁出去的女兒會回娘家一趟。別打擾了他的親人們的興致。」老農思忖道。

「那什麼時候去嗎？初三？」老農的兒子急躁道。

老農想了想，伸出一個巴掌來，說道：「初五去找他老人家吧！正月初五又稱『破五』。破五前許多的禁忌此日都可破。所以這天去請人家幫忙是最好不過的了。」

兒子兒媳點頭稱是。

老農抬頭看了看樓板上的棗樹根，吩咐兒子道：「你得了空閒，記得把那個樹根劈開來。這樣晾著也不知道要多久才能乾。」

他兒子連忙放下一副家長的虛假架子，點頭稱是。

9

初五剛好我也在爺爺家。因為親戚在過年的時候喜歡「逢雙」接客，所以我每年在初二、初六、初八、初十、十二這幾天忙著走親戚家，其餘時候則顯得清閒。趁著清閒的時候，我經常去爺爺家，往往是一大早去，傍晚回。

初五那天，我早早地吃完飯，迎著霧水走到了爺爺家。

我剛剛跨進爺爺家門，就聽見奶奶說她昨晚做了一個什麼夢，爺爺解釋說：「這個夢預示著今天有客來！」

前面奶奶說的夢的內容我沒有聽清楚，恰巧在爺爺說「有客來」的時候，我剛好跨進門來，喊了一聲：「爺爺，奶奶，我又來啦！」

奶奶大笑道：「哎喲，我的乖外孫來啦！你爺爺測夢還真準呢！剛剛說到有客來，你就來了。快，快，進屋裡烤烤火。你頭髮上都是霧氣。」

爺爺奶奶還沒有吃飯，他們年紀大了，起太早怕冷。

我便坐在火灶旁邊烤火，他們開始擺碗筷吃飯。奶奶一不小心，將擱在桌子上的筷子碰掉了。「刷啦」一聲，筷子撒在了地上。奶奶一邊笑稱外孫來了太高興，做事都不小心了，一邊彎腰去撿筷子。

正蹲在鐵鍋旁邊盛菜的爺爺轉身一看，急忙喝住奶奶：「別動！我看那筷子的陣勢有些不一樣呢！」

爺爺這樣一說，我跟奶奶都一愣神，定定地看著地面上的筷子。

「你是怎麼回事？筷子落在地上還有什麼不一樣呢？」奶奶頗為不滿地對爺爺說道，從定格中緩過神來，手繼續朝筷子伸去。

爺爺急忙放下手中之物，攔下奶奶的手，輕聲道：「妳再看看。」

我看了看地上的筷子，確實有些不一樣。筷子有兩雙，分兩支與兩支基本平行，疊成一個「井」字模樣。可是那個「井」字歪斜得厲害，像個剛上學的小孩子生硬畫成。不過，撒在地上的筷子擺成這樣也沒有什麼特別值得人注意的。我抬起頭來，向爺爺尋找答案。奶奶低頭看了一會兒，說：「撒筷子也不是一回兩回的事了，我也沒有見這次有什麼特別啊！」

爺爺道：「從這個卦象來看，今天不只是我們的外孫要來我們家裡，還會有其他客人要來。」

奶奶不以為然，一把抓起地上的筷子，道：「這是筷子，一不是卦板，二不是銅錢，你怎麼從裡面看出卦象來啊？我看你還是快點把菜盛起來吧！待會兒可就涼囉！」然後，奶奶側頭問我道：「亮仔，你說是不是？」

我只好配合奶奶，連連稱是。當時我並沒有猜到爺爺說的「有客來」指的是李樹村的那個老農會來，所以對爺爺的猜測也並不在意。

爺爺卻爭辯道：「卦象不是只能從卦板和銅錢等物上看出來的。世上的一切東西都可以起卦，隨便一個數字、一個聲音、一個漢字……」

「哦？這又怎麼說？」我好奇地問道。只要是我問的問題，奶奶即使不感興趣也不會干涉，她甚至會裝作很感興趣的樣子。

奶奶立時改了口氣，緊接著問爺爺道：「對呀，為什麼這些東西都可成卦象呢？你不是騙我們外孫玩的吧？你說給我們聽聽。」

爺爺笑道：「我怎麼會騙你們呢？你們想聽，那我就從最簡單的數字說起吧。第一種是直接以數起卦，它是一種簡便而準確率極高的起卦方法。當有人求測某事時，可以讓來人隨意說出兩個數，第一個數取為上卦，第二個數取為下卦，兩數之和除以六，餘數為動爻，或者可以隨便借用其他能得到兩數的辦法起卦，比如說翻書或者翻日曆等。第二種是端法後天起卦，它是以物或人所取之象為上卦，以其所在後天八卦方位之卦為下卦，以上下卦數加時數除以六，餘數取動爻。端法後天起卦法是以『八卦萬物屬數為上卦，以後天八卦方位下卦』。這種方法我自己經常使用。第三種是按聲音起卦。凡是能聽到的聲音，數了聲數取作上卦，加時數配作下卦。如動物鳴叫聲、叩門聲、別人說話聲都可起卦。如果聽到的聲音中有一間隔，可以把間隔前聲數取作上卦，把間隔後聲數取作下卦，以上下卦數加時辰數取動爻。第四種嘛，按字的筆劃數或字數起卦，字少時按筆劃數，字多時，可用字數起卦。方法一樣。第五種是以丈尺寸起卦，凡是數字的都可起卦，丈尺、尺寸都是數，也可起卦。所以，我才說世上所有的東西都可以成為卦象，只是平日裡絕大多數的卦像是普普通通的，花了心思看沒有意義。剛才的筷子擺成的是地風升卦，地風升卦的『升』字有登階的意義，互卦中出現了震兌卦，有東席西席的區別，卦中兌的卦象為口，坤的卦象為腹，做為口腹的事情，所以我說今天有客人要來吃飯。」原來我錯將「升」字看成了「井」字。

聽完爺爺的講解，我似有所懂，又似乎一竅不通。

奶奶乾脆將手一撇，搖頭道：「這個太麻煩了，不是專門鑽研這個的人根本聽不懂。照你這樣說來，所有的事情你都能根據現在的卦象預測到？」奶奶在說「現在的卦象」時，用手將屋裡的所有物件指了個遍。

奶奶的動作給我造成一種前所未有的感覺——我們一直都活在卦象之中，這些卦象都向耳聰目明的我們展示著未來的景象，而我們中的大多數人都將這些展示視若無睹，只有極少數人能洞穿其中的奧秘。可惜的是，由於人在一生的日子裡平淡的時間要大大地多過特殊的時間，所以這極少數人也不願無時無刻關注這些卦象，以致於這些卦象便形同虛設。

10

爺爺見我若有所思，怕我聽不明白，於是又解釋道：「我打個比方吧！你的臉，天上的雲，都是隱含著卦象的。」

「臉也是卦象？」我驚奇不已。活了這麼多年了，沒想到我的臉上居然擺著一副玄奧的卦象。我曾經無數次面對鏡子，卻從來沒有發現過自己的臉還預示著什麼。

爺爺笑道：「不說別的，就說伏羲六十四卦中的乾卦吧。乾卦取龍象，可理解為人的臉部骨骼較為凸顯，稜角分明，目光炯炯或眼光清澈。這部分人臉長。」

「連相貌都可以知道？」我更加驚訝了。

爺爺點頭，繼續道：「長這種卦象的人士多適合進入政界，步入仕途。往往又多適於中層級銜的職務，在此類崗位如魚得水，掌管實權，也會有相對的高層關照提攜。但一般不會成就封疆之位。太平歲月，大抵如此。但是逢群雄並起的亂世，在群雄無首之時，倒又多一分作為的可能性，在短暫之中為一時之先，暫居魁首。乾卦之人為官之道宜有清廉之德，否則無道之財易生災禍。在經濟上不貪是其立身之本。這些特徵乃緣於『乾』和『錢』相通。此卦人士，百折不撓，頗具堅韌精神，雖然其間可能遭波折重創，大多都能再做運籌，力圖再舉，身體力行，再次獲得成功。其體貌無論粗陋還是文質彬彬，都多有行伍的性格。『乾卦』又通『牽掛』，在家庭、親友上總有牽掛惦念。」

我感覺兩隻耳朵都不夠用，來不及全部記下爺爺所說的話，以後碰到長有乾卦的人時，好在他面前滔滔不絕地展示一番。

爺爺又道：「這種卦象的人士，在人生運行軌跡認識上多有靈性，對自己人生經歷的發展規律有所認識，能感知到控制、指導自身發展的命運存在，即所謂知天命。因而多有主見，基本不顧忌他人的言語態度，獨為其事，獨行其道。身邊人文環境中、人際關係中一定有『小人』潛伏。宜於動中、亂中舉事、行事。是四象中的青龍。四象你知道吧，國文教科書上應該說過的，四象就是青龍、白虎、朱雀、玄武。」

我再一次垂眉低首，有氣無力道：「爺爺，我們教科書裡沒有這些知識，要我說多少遍你才相信？」

爺爺笑道：「這個不難，即使教科書上沒有，你們老師也應該教的。很簡單的，比如說，夬卦就是四象中的朱雀。」

「這個卦象的人又怎樣？」我好奇地問道。

「這個卦象的人士性格古怪，做事方式、行為、風格與常人迥異，經常為某件事情不停地醞釀，一旦孕育成熟，行動往往果敢、果斷。如果猶豫不決，當斷不斷，必受其患。夬卦的人，健康上容易有皮膚疾病，爻辭『臀無膚』，指下身的皮膚問題，也指凡事好動，坐不住，還指事業上不可以坐享其成。另一方面，如遇坐享其成的事情，則事情上多無善終。在人體上，對應嘴部、喉嚨。言語表達上也指能說會道。穴位上指人頭頂上的鹵門，暗指其人終其一生心性也不成熟。在人際關係上，宜散財於身邊地位低的小人物或者女人。否則，容易因不滿足小人物和女人而被開罪甚至招致訴訟是非。」爺爺說起這些古文化，其風度真不亞於大學教堂上的教授，真是滔滔不絕，口若懸河。

我如小雞啄米般點頭不迭。

爺爺道：「對於夬卦之人，說的就是本該每日言論不斷、嘖嘖不休的人。要是這種人變得比較沉默寡言，他的事業邊緣化和失敗也就開始了。」

奶奶終於忍不住打斷了爺爺的話：「你這個老頭子也真是的，一下子說這麼多，亮仔怎麼能記得住？再說了，他是要考學堂的人，學好數、理、化就可以了，學你這些雜七雜八的東西反而會讓他分心。」

爺爺連忙向奶奶告饒。

走到門口，爺爺見奶奶去忙別的事情了，一時剛剛收起的興致又抑制不住了。他指著外面的天空，拉拉我的衣袖道：「亮仔，你看。」

我朝爺爺指的地方看去，沒有看到任何能引我注目的東西。

爺爺道：「高空出現了魚尾形狀的雲彩，但是你看看近地處沒有一點風。這是小畜卦動了的跡象。」

「小畜卦？」我摸了摸後腦勺，問道。

「小畜卦的卦像是指小孩、男女幼兒、小型動物，也指情人。」爺爺回答道。

「還指情人？」雖然我知道《詩經》中多處描寫男歡女愛之類的「不健康」內容，但是奧秘的卦象裡也出現情人之類的事物，還是讓我吃驚不小。

「不僅如此，它還指女性子宮部位。這種卦象的人士的婚戀夥伴宜與對方有三歲以上的差距。表現為年齡差距較大的異性親密關係。當雙方年齡差距不足三歲時，婚戀關係不穩定。在健康上呢，很少有疾病，身體較為健壯。在事業上，指在幕後者或不在正位上的偏職副職形式的發展。在財富成就上，適合於幕後，隱於顯赫人物之後獲取財富。求財心態尺度有限，處事謹慎。在宗教上，本屬小禽、小畜之仙，但喜論菩薩，親近佛教，多欲修道。在性情上，有喜歡隱匿自己行為與思想的心理特徵，不願意袒露自己的真實想法與行為，不願意以自己的原本面目在社會上出現。」我剛要問為什麼這個卦象還與女性子宮有關係，爺爺緊接著說：「我剛才不是說會有客來嗎？這個來客，肯定是問小畜卦的事情。」

「問與女性子宮或者情人有關的事情？」我的眼睛睜得圓到不能再圓。而在快吃午飯的時候，爺爺所說的每一句話、每一個字，都真真實實完完全全地應驗在我的眼前。

11

中午的時候，奶奶剛將碗筷擺上桌，李樹村的老農就來了。視力不好的他看見正在擺碗筷的奶奶就喊：「馬師傅，馬師傅，我是上次在李樹村給您指路的那個人，您還記得嗎？」他在衣服上蹭了蹭手，就要跟奶奶握。

奶奶一愣，慌忙擺手道：「您老人家弄錯了，我不是馬師傅。」

老農「嗯」了一聲，左顧右盼一番，問道：「我也是才問到馬師傅的住址的，難道找錯地方了？」

奶奶禁不住笑道：「您沒有找錯。我不是馬師傅，我是馬師傅的老伴。我沒有見過您，您來找我家老伴幹什麼啊？」

老農這才看清前面的人是誰，連忙討好地笑道：「您是馬師傅的老伴呀，呵呵，真不好意思，我這眼睛不太好使。請問一下，馬師傅在家嗎？」

奶奶警覺地打量老農一番，問道：「您老人家找他有什麼事嗎？」還沒有等老農回答，奶奶又加上一句：「有事的話，也請您老人家選好時間，現在可是過年，不是什麼事都可以做的。」然後，奶奶繞過他，去火灶提煮了大塊臘肉的鍋，明顯擺出不歡迎突然來客的樣子。

爺爺就站在門口，可是老農一直往裡屋偷瞄，就是沒有發現近旁的人。

爺爺拍了拍老農的肩膀，溫和道：「老人家，我就在您背後呢！找我有什麼事啊？」

老農急忙回過身來，盯著爺爺的臉看了好一陣，喜笑顏開，搓著手掌道：「哎呀，果然是我那天晚上遇到的人！原來在這邊哪！」

爺爺點點頭，詢問道：「我知道，您就是李樹村的那位。今天來找我，恐怕為的就是您的孫女吧？」

老農聽了爺爺的話，愣了一下，降低聲調問道：「我今天是特意查了日子的，初五又叫『破五』，以前的所有忌諱，今天都可以破除，是不是？」他明顯比剛才要謹慎得多了，像個臨考前討好考官的學生。

爺爺偷瞥了角落裡的奶奶，輕聲道：「倒是這樣的。」

聽到爺爺這麼說，老農立即收起剛才的謹慎，哈哈大笑道：「那就好，那就好。我雖然知道初五是破五，但是還不太確定。聽您這麼一說，我心裡踏實多了。我來就是要找您幫忙的。您沒有猜錯，要您幫忙的事就是我孫女懷孕的事。我大年初一的時候碰到了一件怪事，一個白衣男子無緣無故給了我幾顆乾癟的棗子……」

一旁的奶奶終於忍不住了，大喊道：「我說這位鄉親，您老人家是不是犯糊塗了？現在是過年，我不管什麼破五不破五的，您老人家不能讓我們連年都過不好吧？有什麼事，請您在過完年之後再來。難道非得現在來找我們？」

老農噎住了。

爺爺為了緩和一下氣氛，請老農挨著桌子坐下，笑問道：「您老人家從李樹村一路走來，恐怕還沒有吃午飯吧？要不，您就在我們這裡將就將就？我們這裡菜不好，可是飯管飽。」說完，爺爺連忙給我使眼色。

我急忙將桌上的碗拿去添飯。

奶奶窩著一肚子的氣，憤憤地坐在桌邊。

爺爺慌忙去盛還沒有盛起來的菜。

老農坐在桌邊，急忙擺手道：「我不吃飯，我是來麻煩你們的，怎麼可以還在這裡吃飯呢？我還是趕回去吃飯比較好。」他也是個厚道人，見女主人臉色不對，便要起身離去，臉上擠滿了歉意的笑，眼角的魚尾紋更加顯眼。這時我才發現他的眼睛裡佈滿了細密的血絲，如同一張紅線網遮住了眼球。

奶奶也發現了這一點，口氣緩和下來，道：「這位老人家，您就不要客氣了，吃了飯再走吧！我看您眼睛裡血絲比較多，昨晚肯定沒有睡好吧？」

老農見女主人態度有些緩和，連忙彎身道：「何只是昨晚沒有睡呀，從初一遇到那件事之後，我這幾個晚上都睡不著覺。一個是擔心我孫女，還有一個，就是擔心過年來了打擾你們，怕你們不答應。」

奶奶聽見他提起孫女，口氣更是柔和了許多，輕聲問道：「哦？您的孫女出了什麼事？大過年的，出點麻煩會很揪心哦！」

老農嘆口氣，道：「是啊！不過這事不是過年後出的，早就有了。」

奶奶挪動身子，趨向老農，問道：「哦？早就有了？什麼事啊？」

老農搖搖頭，啟齒道：「說出來還真是丟臉。不過既然來找馬師傅幫忙，就不怕你們知道了。我孫女無緣無故懷了孕，但是她說她沒有跟別的男人做過那事。我兒子、兒媳不相信，但是我相信孫女說的話。兒子、兒媳長年在外做事，哪裡清楚他們女兒的底細哦！是我把她拉拔大的，我還能不瞭解？」

奶奶嘆口氣道：「可不是嘛！我這個外孫就是在我家長大的。」奶奶指了指我。看來他們有了共同的話題。

老農瞟了我一眼，微笑示意。

奶奶又道：「可是，如果一個女的沒有跟男的做那事，怎麼可能懷上孕呢？」

老農拍著巴掌道：「我也這麼想。這不，初一拜年的時候我們家就來了一個怪人。我給他糖果他不要，他卻偏偏給了我幾顆棗子。等我回過神來，他卻不見了。我圍著屋子找了好幾圈都沒有找到他。我心想這不對勁，所以來這裡請馬師傅給看看。」

奶奶轉頭去看爺爺，問道：「你看這事有什麼蹊蹺？」

爺爺搖了搖頭道：「暫時我還不能下定論，要去看了才能知道。」

奶奶略一思尋，說道：「今天既然是破五，你們吃了午飯就去看看吧。」末了，奶奶又對我說：「亮仔，你去跟著你爺爺，別讓他在那裡待太久了，盡量在太陽下山前回來吃晚飯。」

我歡天喜地地點頭應諾。

12

奶奶又道：「這位老人家一路從李樹村趕來，確實不易。您得在我們這裡吃了飯再走。不然我是不會答應我老伴和外孫跟你走的。」

老農聽奶奶這麼一說，喜得雙手顫抖，拱著手朝奶奶作揖：「真是謝謝您了。」

奶奶擺手道：「別說這麼多啦！快吃飯吧！吃飽了才有力氣做事呢！」說完，奶奶將滿滿一碗飯推到老農面前。

我們迅速吃完飯，然後由老農領著我們趕往李樹村。

經過文天村，穿過常山村，然後翻過幾座不高不低的山，繞過一兩個大水庫，就到了李樹村。我滿心希望到達老農的家裡之前，有機會經過「李鐵樹」的地方。可是爺爺告訴我說，那個地方沒在我們的行程上。

到了老農家，老農的兒子、兒媳十分熱情，又是敬菸又是遞茶。他們的女兒待在閨房裡，沒有出來。老農說，他的孫女越發沉悶了，像極了古代足不出戶的繡花小姐。

爺爺端起滾燙的茶水，邁著步子繞老農的房子走了一圈。老農和他的兒子、兒媳恭恭敬敬地跟在後面，笑容可掬。我雖然看不懂爺爺的意圖，但也跟著走來走去，偶爾答上幾句寒暄話。老農怕打擾了爺爺，所以總問我一些在哪讀書、成績怎樣等枯燥的問題，然後又說他們李樹村有誰誰誰也在那個高中讀書，又說他們李樹村有誰誰誰從那個高中考上了某某重點大學。

我有一句沒一句地答著老農的話，眼睛卻死死跟蹤爺爺的目光。爺爺看哪裡，我就急忙跟著看哪裡。明知自己肯定看不懂，但是心裡卻隱隱覺得自己也許可以學到些什麼。

走到了老農的屋後，爺爺將杯中的茶水稍稍傾倒一些出來。

老農連忙叫道：「馬師傅小心！別讓茶水燙著了手。」

爺爺回頭笑道：「我是故意的。」

老農的兒子不解道：「您為什麼要故意將茶水倒出來啊？這種茶您不喜歡喝？」

爺爺啜了一口，搖頭道：「你們知道茶這個名字是怎麼來的嗎？」

我們都搖頭表示不知。我家有自己種的茶樹，經常餐前餐後喝些茶水解渴潤喉，但是從來沒有想過「茶」這個名字是怎麼來的。

爺爺眼望遠處道：「傳說神農的肚子像水晶一樣透明，由外就可看見食物在胃腸中蠕動的情形。神農嚐百草，這個典故你們都知道的。有一次當他嚐茶時，發現茶在肚內到處流動，查來查去，把腸胃洗滌得乾乾淨淨，因此神農稱這種植物為『查』，後來轉變成『茶』字，而成為茶的起源。」

在我第一次聽爺爺解說「魚」字跟「牛」字的區別之後，還將他說的話僅僅當作玩笑。可是後面接著聽爺爺解說「棗」字和「茶」字等之後，我才心服口服地承認沒有進過學堂的爺爺對字的瞭解比讀到高中的我要深得多。

爺爺看了看腳下被茶水打濕的地方，道：「我剛才將茶水倒一些出來，就是想查一下這裡到底出了什麼怪事。」

「那您看出什麼問題沒有？」老農的兒子急忙問道。

爺爺看了老農的兒子一眼，表情凝重道：「我在來這裡之前看了看天象，是小畜卦象，那時就預示了現在的推測。」

「您來之前就知道了？」老農的兒子有些驚訝。

爺爺俯身將茶水放在地上，然後回答道：「那時我還不太確定。剛才我繞著你家房子走了一圈，沒有發現特別的地方。但是我將茶水倒了一些在地上之後，發現地面有一陣一陣的孕氣。」

老農的兒媳沒有聽清楚，驚問道：「馬師傅，既然我們家裡運氣好，那麼怎麼會碰到女兒出這種醜事呢？您是不是看錯了？」

老農的兒子狠狠拽了他媳婦一下，惱羞成怒道：「馬師傅說的不是好運氣的運氣，是懷孕生子的孕氣。」

老農的兒媳不服輸，還振振有詞道：「孕氣是在女人身上的，怎麼可能從泥土上也可以看到呢？」

爺爺微笑道：「就是因為這附近的土地裡有孕氣，我才覺得奇怪。不過，這剛好迎合了之前看到的小畜卦象。我可以確定，你家女兒是碰到了借胎鬼！」爺爺微笑是因為老農的兒媳說的話正確，那個笑並不是開心的笑。

「借胎鬼？」老農一家三口異口同聲問道。

爺爺點頭道：「借胎鬼名為鬼，實際上很多借胎鬼並不是鬼。它們有可能是人，也有可能是其他，比如花草、蛇狼等。」

老農的兒子迷惑道：「人怎麼也可以是借胎鬼呢？」

老農的兒媳立即打斷了她丈夫的話，說道：「怎麼沒有？我就聽我姐姐說過，有一次我姐姐和姐夫去廟裡拜佛，剛好碰見一個小姐站在送子娘娘的佛像前面摸肚子。那個小姐見了姐夫，就叫他幫忙插香到香爐裡。」

「然後呢？」老農的兒子問道。

「我姐姐說她覺得那位小姐行為很怪異，便不讓姐夫幫忙。那位小姐就很兇地對我姐姐說，妳沒看到我身子不方便嗎？姐夫以為那位小姐的手受了傷，便好心幫她將香插進了香爐裡。」老農的兒媳道，「可是回來的路上，我姐姐和姐夫又碰上了那位小姐，發現她居然四肢健全，行動自如，完全不像是身子不方便的人。」

「拜佛都這麼懶，還要別人幫忙插香。」老農的兒子嘟囔道。

「你想得太簡單啦！她這可不是懶。如果她懶的話，哪裡還會跑到高山上的寺廟裡拜佛？」老農的兒媳爭辯道，「我姐姐心想不對，回到家裡就問村裡懂靈異的老婆婆。老婆婆說，那位小姐是懷不上孩子，找人來借胎呢。果然，姐夫第二天就頭暈犯睏，接著生了一場大病。老婆婆說那位小姐是要奪了姐夫的命投胎給她做兒子呢。」

13

「那位小姐怎麼這麼惡毒？」老農的兒子縮了縮肩膀，兩手互摸手背，手背的雞皮疙瘩清晰可見。「妳姐夫後來好了沒有？」

老農的兒媳揮舞著手道：「老婆婆說所幸姐姐及時告訴了她，時間還不算長，還有得救。」

「怎麼救呢？」老農也忍不住了。

老農的兒媳道：「老婆婆交代姐姐扶著姐夫又去了那個寺廟一趟，讓姐夫自己敬神，然後自己拿著香插到香爐裡。等那幾炷香燒完了，再收集香爐裡的香灰，拿回家裡泡水喝了。姐夫的病這才慢慢好起來。」

「姐夫家發生了這樣的事情，我怎麼不知道？」老農的兒子懷疑道。

老農的兒媳道：「那時我還沒有嫁到李樹村來呢！你怎麼知道？事情還

沒有完呢！等姐夫完全好起來，已經過了好幾個月了。可是就在這時，姐姐就聽見村裡人在談論某某村的某某媳婦，說那個媳婦好幾年不見生育，今年突然動了胎氣，可是前陣子無緣無故又將懷上的孩子落了。姐姐問了談論的人，找到了那個媳婦，果然是在寺廟裡遇到的那個人！」

「怎麼可以做這麼缺德的事呢？要不是及早發現，那肯定要了人命！」老農搖頭道。

「可不是！」老農的兒媳有幾分激動，「所以說，不僅僅是鬼，人也可以找人借胎的。」

那天，我和爺爺並沒有聽奶奶的交代早早回去。等到月上樹梢，我和爺爺還在老農家裡坐著。爺爺說，因為過年串親戚門的人多，人來人往的，陽氣旺盛，他看不到借胎鬼的真正形象，所以要等太陽落山，月出雲岫。

老農和爺爺聊著無關痛癢的家事、農事，我坐在一旁越發無聊，就找了幾張曬過酸菜的報紙來看。等我將報紙上大大小小的新聞看完，又將各個角落裡的廣告、尋人啟事看完，天色才剛剛擦黑。

老農的兒子一會兒出去一會兒進來，不知道在幹些什麼。老農的兒媳則用拆過的毛線織毛衣，織了一段又拆掉，拆掉了又重新一針一線地織。我問她這是幹什麼，她說她在學打花樣圖案。不過我不相信，因為她打的都是平針，沒有凹凸之分，也沒有其他顏色。

在我們等待的過程中，老農的孫女只出來過一趟。她走到水缸旁邊，輕輕地勺了些水，咕嚕咕嚕地喝了幾口，便旁若無人地回到了房裡。

她是個愛乾淨的女孩子。即使這樣窩在家裡，她的頭髮和衣服都裝扮得整整齊齊。手和臉也清淨好看，微微幾個紅點不是斑，是貓骨刺留下的印記，如果不是早知道她父母怎樣對待過她，我還會以為那裡是被蚊子叮咬過留下的。

只是她年紀輕輕，卻挺著一個不算大但明顯凸出的肚子，這樣走路的時候就略顯蹣跚。她的鼻子和嘴巴小巧可愛，可是臉色比較蒼白，像是用特殊的吸紙將紅潤都吸了去。

她喝水的時候，我們都靜靜悄悄的，生怕打擾了她。直到她將門「嘭」的一聲關上，我們才繼續先前的動作和說話。

「她變了個人似的。」老農心疼道，「她以前可不是這麼沉默，見了熟人、生人都會按輩分叫人的。」

老農的兒媳既安慰自己，又安慰公公道：「現在有他老人家在這裡，過了今晚就會好的。」說完，她將詢問的目光投向爺爺，似乎等待著爺爺來肯定她的話。爺爺沒有點頭，只微微一笑。

老農見天色漸晚，便叫兒子去樓板上將棗樹根取下來，讓我跟爺爺烤火，並且煮上臘肉，留我跟爺爺在這裡吃晚飯。

老農的兒子應了一聲，忙搭樓梯去樓板上取棗樹根。

爺爺連忙說：「不用了。我老伴肯定在家裡做好了飯菜，等著我們去吃飯呢！」

老農指著外面的天色道：「現在天就擦黑啦，她肯定先吃完了。」

爺爺道：「她會留飯菜在鍋裡，等我們一起吃的。您就不用為飯菜操勞啦！等月亮出來，我看一看就知道啦！再說了，過年嘛，吃的臘肉多，油膩不好消化。我中午吃的還沒有消化完呢！」爺爺轉頭朝老農的兒子喊道：「煮臘肉就不用了，如果燒點水再喝幾杯茶倒是可以。」

老農見爺爺這麼說了，只好叫兒子將水壺添了水掛上。

老農的兒子用柴刀將棗樹根砍斷了幾節，塞進火灶。原本火灶裡的引火柴燒得好好的，棗樹根塞進去之後，火灶裡突然出現一陣濃黑的煙，燻得我和老農眼淚都出來了。不知道是棗樹根本身不適合當柴火，還是晾得不夠乾燥。

爺爺忙道：「快蹲下身子，煙高不煙低。你將頭低下來一些煙就燻不到了。不過棗樹根燒掉太可惜了。秋季挖出的棗樹根可以入藥呢！能治很多病的。」

等水燒開，我們喝了半杯，爺爺就將茶杯放下，說：「月亮就要出來了，我們去外面看看。」

我心中納悶，爺爺坐在屋裡怎麼知道月亮要出來了？

走到門外，鐮刀一樣的月亮剛好從雲霧中露出來，似乎要將遠處起伏的山林收割。偶爾起兩陣風，帶來或濃或淡的硝煙味。雖然鞭炮聲已經沒有初一、初二那樣密集了，但零零星星的還是聽得見，像秋後農民在田地裡燒的稻草，不經意會有稻穀爆裂，「劈啪」響起。

爺爺在地坪中站住，閉著眼睛，彷彿想起了很久遠的事情。

我和老農，還有那對夫婦靜靜地站在爺爺身後，默不作聲。

爺爺靜靜地「想」了一會兒，終於睜開眼睛，回頭問老農道：「你家地坪的左邊原來種著一棵棗樹的，每年那棵棗樹上都有一顆打不到的棗子。是嗎？」

這時，一陣輕風拂面而來，我隱隱約約聞到了成熟的棗子氣息。

14

接著，我就看到地坪的左上角有一個樹的影子，枝葉很少，如被人扒了油布的傘骨架。奇怪的是，地上有樹的影子，可是影子旁邊卻沒有樹。

老農顯然也看見了那個樹影子，嚇了一跳，側頭驚慌地問兒子道：「那，那，那不是我們家原來種的棗樹嗎？我出生的時候就有了，我記得它的影子！」

老農的兒子頓時手足無措，看了看地上的影子，看了看他的爹，又看了看日光凝重的爺爺，咳嗽一聲，道：「我見它最近幾年不怎麼長棗子了，又妨礙秋季在地坪裡曬穀，過年前便將它砍斷，挖了根。樹沒有了，影子怎麼還在？」

我想起爺爺家門前的棗樹，一時間竟然將這棵未曾謀面的棗樹想像成爺爺家前的那棵。如果爺爺或者舅舅要砍斷那棵棗樹，我一定是第一個反對的人，因為小時候的我曾無數次嚐過鮮棗的甜味。雖然現在不等我放假棗樹上的果實早就被鄰居的小孩子用晾衣竿或者釣竿打了去，但是對我來說，那棵棗樹結出的不僅僅是幾顆果實，更是承載著我對過去時光的懷念。多少年後，我在遙遠的東北上學時，夢裡常常出現的也是那棵瘦弱但頑強的棗樹。

有好幾次，我和爺爺都以為那棵棗樹已經走到了生命的盡頭。因為有幾個年頭的春季，它懶洋洋的不願意開出黃綠色的小花，也不願意長出小小的綠芽，萎蔫得如同得了瘟病的雞，乾枯得如同垂在爺爺香菸頭上的菸灰，彷彿輕輕吹一口氣，它就會像爺爺手上的菸灰一樣片片飛去。

可是我和爺爺的擔心是多餘的，到了知了鳴叫的季節，它總是奇蹟般地生出一顆又一顆的紅綠相間的棗子來。這時，我跟爺爺才為棗樹鬆一口氣。

我不知道，老農和他的兒子是不是跟他們的棗樹也有著這樣的經歷和感情。我們那塊地方，桃樹、橘樹倒是見得多，可是棗樹很少，所以顯得珍貴。

所以我相信老農和他兒子都無數次嚐過它結出的果實的滋味。它的養分，曾供養過他們兩代甚至三、四代人。

老農問道：「馬師傅，我家地坪的那個角落確實種過棗樹，經過我家的人都知道。可是你怎麼說每年那棵棗樹上都有一顆打不到的棗子？」

爺爺嘆口氣，道：「也許你是不夠細心，沒有發現你家的棗樹隱藏著一顆種子呢！不僅僅是棗樹，還有橘樹、梨樹等，它們都想隱藏一兩個果實做種呢！你有沒有這樣的經歷，每年你覺得你已經將桃樹或者棗樹的果實都摘完了，可是過了好長一段時間再去看，發現樹葉中還藏著一個果子呢？」

老農點點頭，道：「確實，我經常有這種感覺。」

經爺爺提醒，老農的兒子恍然大悟道：「是啊，是啊！馬師傅說得對。我家這棵棗樹就是這樣。每次我爬上樹將能看見的棗子都打得一乾二淨，等過了採摘的時節，偶爾抬頭還會看見樹的某處還有一顆棗子呢！只是那時候棗子已經變得乾癟無味，就不再管它了。幾乎每年都有這樣的事。不過我沒有把這事掛在心上，不就一兩顆棗子沒看見嘛！」

爺爺看了老農的兒子一眼，微微頷首，道：「當然不是每棵樹都會隱藏種子，但是你這麼一說，我就確定了。」

「確定了什麼？」老農急問道。

還是老農的兒媳比較聰慧，她搶言道：「還能確定什麼？當然是借胎鬼囉！」

爺爺點了點頭，走到樹的影子旁邊。我們輕手輕腳跟著靠了過去。那個棗樹的影子在輕煙一般的月光下輕輕搖擺，看來我們的腳步並沒有打擾它。

「難怪它要給您幾顆乾癟的棗子。」爺爺對老農道，「原來它是在提醒您，你們在毀壞它的樹幹的同時，也毀壞了它的種子，讓它的生命得不到延續。它對你們有怨念呢！」爺爺蹲下去，手在樹影上摸索。

老農和他兒子對望了片刻，然後老農自言自語道：「它對我們有怨念？」

老農的兒子卻說：「我們幾代人養了它這麼久，它怎麼會有怨念呢？」

爺爺的手還在樹影裡摸索：「你說的什麼話？樹是靠陽光的照射，靠雨水的滋養才生長起來的，哪裡要你養了？倒是人要年年吃它的果實。」

一席話說得老農的兒子低下了頭。

爺爺從樹影裡縮回手，伸到老農面前，問道：「這幾顆棗子可是你丟的？」

老農的眼睛不好，看不清爺爺手裡拿的什麼東西。站在一旁的老農的兒子瞪大了眼睛，驚訝不已：「這樹影也可以結果子嗎？您怎麼摸出幾顆棗子來了？」

老農聽說爺爺手裡拿的是棗子，慌忙從爺爺手裡抓過棗子，對著月光細細地看。良久，他才道：「這不是白天那個白衣男子遞給我的棗子嗎？怎麼跑到這裡來了？」

老農拿著棗子慌忙往屋裡跑。老農的兒媳喊道：「爹，你幹嘛往屋裡跑啊？」

老農一邊跑一邊喊道：「我去看看我放在桌上的棗子哪裡去了。」

我們幾人忙跟著進屋。

進門時，老農的兒子偷偷問爺爺道：「這樹影是今晚才有的，還是以前就有只是我們沒有發現哪？」

爺爺想了想，回答道：「以前應該就有，只是你們沒有發現罷了。」

老農見我們進來，回過身來攤開雙手道：「我白天放在桌上的棗子不見了。是誰把棗子扔到外面去的吧？」問他兒子，他兒子說沒有；問他兒媳，他兒媳也說不是她。

「難道它自己長了腳跑到外面去的不成？」老農自嘲道。

老農的話音未落，卻聽見他孫女從閨房裡傳來奇怪的說話聲：「你說外面那位老人就是從畫眉村來的？」

白衣男子

15

又是一個鬼怪離奇的夜晚，湖南同學詭異的故事再次上演，大家都在陰風呼嘯和陰氣襲人的氛圍裡屏住了呼吸，睜大了雙眼……

老農吃了一驚，他的兒子、兒媳也頓時瞪大了雙眼，面面相覷。我暗暗瞥了爺爺一眼，爺爺倒是神態自若。

老農一個箭步衝到他孫女的閨房門前，用力捶著門問道：「妳在跟誰說話？妳的房間裡還有其他人嗎？」我們隨後跟上。

裡面的人沒有回答，只有窸窸窣窣的腳步聲，如草地裡的一條蛇正蜿蜒地向門口、向我們幾個爬來，令人毛骨悚然。但是，我們只聽到了一個人的腳步聲，雖然聲音怪異，但是比較有節奏，不雜亂，也不顯得慌張。

在短短的不到半分鐘的等待裡，我的腦海裡急速回憶著《百術驅》裡有關借胎鬼的細節。雖然《百術驅》已經不知去向，但是我腦海裡的記憶不會隨之丟失殆盡。

在《百術驅》裡，借胎鬼又叫「借生鬼」，本性屬土。這類鬼具有強烈的「生」的慾望。這個「生」不僅僅是「生存」的「生」，還包括「生產」、「生育」中「生」的意義。當它的生存受到威脅或者破壞的時候，它會透過各種手段保持生命的延續，其中就包括借人的胚胎使用。聽了老農和爺爺的講述，我心中已經有了幾分眉目，只是還無法肯定。

就在我這樣思索的時候，老農的孫女打開了她的閨房門，露出一張略顯蒼白的臉來，眉毛往上輕輕一挑，面帶疑問地問道：「爺爺，您這麼用力地敲我的門幹嘛？」她用那種迷惑的目光將我們每個人打量了一下。

老農有些哆嗦了，口齒不太利索地問道：「妳……我……我剛聽到妳在屋裡跟什麼人說話。但是妳房間裡不是只有妳一個人嗎？」說完，老農強行將頭伸進閨房的門縫裡，左轉右轉，像條貪吃水田裡莊稼的老水牛。

「是呀，只有我一個人。還找誰呢？」老農的孫女雖然回答得很乾脆，但是她在聽她爺爺問話時，明顯有短暫的思索動作，頭微微側了一側，然後才恢復正常。她自己也許不知道，但是門外的人，包括我都輕而易舉地發覺了她的不自然。

老農將頭縮了回來，很顯然，他在屋裡沒有發現第二個人的存在。老農囁嚅著嘴，輕嘆了一聲。他的目光在孫女身上游移片刻，突然停在了他孫女的腰間。

老農乾嚥了一下，指著孫女的腰間，驚奇道：「妳……妳……妳的褲腰帶怎麼鬆開啦？一個女兒家的，怎麼可以這麼隨便？我平時是怎麼教育妳的？」

經老農這麼一提醒，我們幾人立即將目光投向他孫女的腰間。更奇怪的是，他孫女自己也一副不可置信的模樣，慌慌張張地低下頭去看自己的褲腰帶。

她穿著一條普普通通的藍色棉布褲，這沒有什麼值得驚訝的，可是褲子前同樣藍色的腰帶在兩邊散開著，晃晃蕩蕩。並且，褲子前面的釦子都是鬆開的。這樣，肚子更加顯得圓圓滾滾，一副喜態了。

老農的兒子生氣了，一腳將門踹開，狠狠說道：「妳還裝什麼傻？剛剛是哪個男人來過我們家裡？妳居然敢偷偷摸摸背著我們做出這樣的事來！」老農的兒子眼裡冒出火來，似乎要將看到的一切都燒掉，雙手顫抖著翻箱倒櫃，查找一個男人曾經在這裡待過的蛛絲馬跡。原本整整齊齊、乾乾淨淨的閨房立刻被他翻得亂七八糟。

老農的兒媳則立即出了大門，嚷嚷道：「恐怕是趁我們不注意翻窗跳走了吧！我出去看看！」說得好像她跟她丈夫曾經就是這麼過來的一樣。出門前她還對著老農翻了一下白眼，憤憤道：「虧您老人家還說孫女是您一手帶大的，原來根本不瞭解您的孫女是什麼樣的人！真是氣死我了！」

場面一下子就亂了。老農急忙拉住爺爺的手，求助道：「您剛才不是說借胎鬼也可以是人嗎？您看能不能幫我把那個讓我孫女懷孕的壞小子找出來？」

閨房的門被撞開後，我一眼就看見了緊鎖著並且釘有防蚊紗布的窗戶。於是，我安慰老農道：「您不要著急，如果有人的話，根本不可能跳窗戶逃走的。您看，窗戶的紗布還好好的呢！怎麼跳得出去？」

老農的兒子將房間翻了個遍，別說人了，連隻老鼠都沒有找到。

爺爺道：「你們看看，是不是錯怪她了？」

老農的孫女這才有機會辯解道：「我屋裡沒有別人。我也不知道為什麼我的腰帶是鬆的，褲子也是開的。我平時很注意的呀。我……我也不知道怎麼回事。剛才我說什麼話了嗎？我好像沒有說什麼話吧？」

此時，老農的兒媳也氣喘吁吁地跑進來了。不過看她失望的神色，就知道在外面也沒找到跳窗逃跑的人。但是她不甘心，狠聲道：「妳是不是越來越會假裝了？妳明明剛才說過了話。妳在問另外一個人，問外面那位老人是不是從畫眉村來的！妳還狡辯！」然後她對著她丈夫使了一個眼神，意思是詢問她丈夫發現什麼異常沒有，她丈夫搖了搖頭。

「我真這麼問過嗎？」沒料到老農的孫女反問她母親一句。

爺爺揮了揮手，示意大家都不要激動，然後溫和地問這個小女孩：「妳好好想一想，剛才有沒有說過這樣的話。不要急，細細想一下。」

女孩看了爺爺一眼，思索了片刻，改口道：「好像說過。」她的聲音低了很多。

本來以為女孩的父母聽了她的話之後會滿意，但是他們夫婦倆對望一下，臉上的表情比剛才還要失望。

老農的手更加顫抖了，甚至連嘴角都出現了一絲抽動。他像突然之間老了許多似的，腳步蹣跚地走到孫女面前，摸摸她的瘦臉，傷心道：「孩子……」後面的話卻怎麼也說不出來了。

16

爺爺左手一揮，打斷老農道：「孩子，妳想一想，妳剛才遇到了什麼？是什麼情況促使妳說出那樣的話來？不要著急，慢慢想一想。」

女孩一臉茫然，搖頭道：「我想不起來。好像剛剛做過一場夢似的，雖然剛才也許真的發生過什麼，但是現在我一點頭緒都沒有。」

女孩的父親怒不可遏道：「哪裡是夢？就是真真實實發生的！妳看看妳的肚子！妳看看！妳還在這裡裝迷糊，妳可知道我現在都沒有臉出去見人了！」

爺爺不慍不火，輕輕拉開女孩的父親，問道：「妳再想一想，妳是不是夢到了跟棗子有關的事情？」爺爺不說剛才的是不是事實了，反而詢問她的「夢」來。

女孩的父親不理解地問道：「馬師傅，您是不是也糊塗了？她根本就不是作夢，誰知道她是不是有意要隱瞞？您還像她爺爺一樣維護她？」

女孩看著爺爺的眼睛，彷彿沒有聽到她父親的話一般，臉寧靜得有幾分可怕。爺爺也對女孩父親的話置之不理，以同樣寧靜的眼神看著女孩，似乎他的目光要穿過女孩透明的眼睛，直抵她的內心最深處。

「想起來沒有？與棗子有關的夢……」爺爺拖著聲音詢問道。

「棗子？」女孩的目光仍是一片恍惚與茫然，如同損壞的手電筒一般不能將焦點凝聚到一起。「棗子……棗子……」她喃喃地反覆說著這兩個字，頭漸漸地低下來，往她自己的肚子上面看。

「妳想起了什麼嗎？」爺爺渾身微微一顫，輕聲問道，彷彿此刻的女孩還在夢中，動作稍大就會將她從睡夢中驚醒。女孩的父母，以及老農都從她的動作中看出了些許隱含的寓意，他們屏氣斂息，擔憂地看著女孩，看著她那凸出的肚子。

女孩眉頭微微皺起，喃喃道：「我好像想起了什麼，好像有誰說，他要將棗子種在我的肚子裡面。」她抬起了頭，兩條細細的眉毛往中間擰，擰成一個解不開的結。

「什麼話？」老農看了看他的兒子、兒媳，又慌忙看了看我和爺爺，神情十分緊張，「她說的什麼話？肚子裡面種棗子？」

爺爺輕輕地嘆出一口氣，似乎已經將事情的來龍去脈弄清楚了八九成。爺爺點點頭，鼓勵女孩繼續說下去：「妳接著說，不要慌。說這個話的是誰？是男還是女？他對妳做了什麼？他怎樣將棗子種在妳的肚子裡面的？」

女孩又思考了一陣子，嘴裡重複著爺爺的話：「他對我做了什麼？他怎樣將棗子種在我的肚子裡面的？……」

女孩的父親攥緊了拳頭，微微發抖，像一隻待戰的公雞。女孩的母親額頭上則出了一層汗，鼻翼起伏明顯，像中暑前的不適症狀。

女孩的眉頭越擰越緊，臉色越來越難看，她那漸漸回神的眼睛告訴我，那個「誰」對她做過的事情在她腦海裡漸漸浮現出來。那浮現的場面一定讓她十分難受，讓她心跳加速，讓她無法面對面前的親人們。

「那個人……他說……他在我家門前站了那麼多年，可是我都從來不認識他，不記得他。」女孩的嘴唇開始顫抖，額頭的汗珠在她的睫毛上凝聚，然後滴落在鼻樑，好像是從她眼角流出的淚水一般。

「嗯？」女孩的爺爺一愣，「他在我們家門前站了很多年，而我們不認識他？」

女孩緊張地點點頭，兩隻手抓住頭髮，用力地撕扯，口氣漸漸變得異常。「是的，他是這麼說的。他……他還把棗子種在我的肚子裡面。他說……他說他給了爺爺幾顆棗子。那麼……爺爺……你也不認識他嗎？」她將那雙驚恐的眼睛看向老農。

「妳……妳說的是初一給我棗子的那個白衣男子嗎？」老農問道，「他……是他要將棗子種進妳的肚子裡？」

「白衣男子？」女孩從她爺爺的嘴裡得到了更多的資訊，「對……白衣男子……」

女孩的父親不顧一切抓起她的衣襟，眼睛裡幾乎吐出火舌來，搖撼著她道：「妳不是說妳沒有跟別的男子做過那些齷齪的事嗎？妳！妳！妳！妳現在怎麼又多出一個白衣男子來？妳給我解釋清楚！他跟妳做過什麼？」

女孩看了她父親一眼，驚惶道：「對不起……對不起……是他誘惑了我……」

就在這節骨眼上，爺爺急忙將像發怒雄獅一般的男人從他女兒面前拉開，然後將我們幾人往外推。女孩的父親本來不聽爺爺的話，還要在他女兒身上發洩憤怒，但是女孩的母親聽到「誘惑」兩字，立即如被抽去了筋骨一般癱軟下來，跌倒在地。

女孩的父親這才返過身來去扶妻子。

老農雖然愣愣的，但是順從著爺爺從門口退出來。我自然是乖乖地聽從了爺爺的命令。

爺爺扶住女孩的肩膀，攙著她在床邊坐下，安慰道：「妳不要想了，我知道了，妳不要想了。妳休息一下。妳爸媽不會責怪妳的。」

女孩坐下，嚶嚶地哭泣。

爺爺忙從屋裡退出來，輕輕掩上房門。

老農見爺爺出來，撲上來哭問道：「您說這該怎麼辦？借胎鬼怎麼會借到我孫女身上來呢？是不是我前世造了什麼孽呀！」

爺爺扶住老農，不停地安慰這位傷心的老人。

女孩的父親一邊掐住妻子的人中，一邊向爺爺央求道：「馬師傅，這可如何是好？您得替我們想想辦法啊！那個白衣男子是什麼來路，能用什麼辦法治好啊？」

爺爺道：「這事情，壞就壞在你們將門前的棗樹燒了！要想你女兒完全沒事，這個比較難了。」爺爺說比較難，那就是特別特別難的意思。要想讓那個女孩的肚子平安無事地恢復到原來的狀態，幾乎是沒有可能了。

17

老農著急道：「您可不能不幫我哇！」

爺爺無奈道：「不是不幫你。現在借胎鬼已經跟您的孫女結合過了。如果再要強求什麼，恐怕會傷到您孫女的身子呀！」

老農愣了一愣，攤開雙手問道：「那您告訴我，我該怎麼辦？女孩子最重要的就是清白。您撒手不管，不是讓我的孫女沒有活路嗎？她爸媽不將她罵死，別人的唾沫星子也會將她淹死。求求您了，無論如何要幫幫忙！」

爺爺深深地吸了一口氣，搖頭道：「那我試試吧！」

老農見爺爺終於鬆了口，急忙詢問道：「您需要什麼東西，儘管說。我盡量幫您找到。要桃木劍嗎？要不要買黃紙來畫符？要不要我去借一身道士服來？」

爺爺搖搖頭，道：「你只給我去搬些草灰來，然後給我一根抽牛的鞭子。」

老農的兒子不解道：「您要草灰和鞭子幹什麼？」

老農罵道：「都這個時候了，你還管它做什麼用？只要快點將東西備齊就是了！」老農揮手頓足，對兒子一副恨鐵不成鋼的樣子。

老農的兒子道：「這些東西倒是不難找。火灶裡多的是草灰，要多少有多少；抽牛的鞭子也不難，家裡就有一根，現在就去找來。」

老農催促道：「快些拿來！」

老農的兒子放下懷抱中的女人，如兔子一樣蹦了出去。

爺爺又道：「您老人家也別歇著，快快給我煮點紅棗茶來。茶中的棗子不要雙數，要單數，三顆、七顆都可以。水不要太多，　茶盅就剛剛好。」

老農得了命令，立即準備紅棗茶去了。那個女孩的閨房裡輕悄悄的，似乎根本沒有注意外面的吵吵鬧鬧，安靜得讓人不由得有些擔心。

我也不知道爺爺要草灰、鞭子和紅棗茶做什麼，更不知道他要如何對付那個還沒有打過照面的借胎鬼。聽他們說到借胎鬼是個白衣男子，我便猜想著那是怎樣一個風度翩翩的模樣。

「亮仔，跟我來踏一踏地。」爺爺也沒有讓我閒著，拉起我便圍著老農的房子一步一步走了起來。每抬起一步，必須緊挨後腳的腳尖放下，如此謹慎而快速地走了一圈。末了，爺爺對我道：「還好，借胎鬼沒有走遠。」

我頓時明白了幾分爺爺為什麼要紅棗茶。我問道：「爺爺，你是想趁著借胎鬼還沒有走遠，要用紅棗茶的氣味將它引誘回來嗎？」

爺爺默默點頭，道：「它會不會來我還不確定。我是第一次碰到借胎鬼，以前只聽你姥爹提到過他是怎麼處理借胎鬼的，依稀記得一些。但是它的習性我不是很熟悉。」

沒過多久，老農的兒子雙手漆黑地抱著一簸箕的草灰來了，因為沒有多餘的手拿鞭子，他便將油膩的鞭子掛在脖子上，那模樣簡直是清末的遺老。雖然剛才他還對自己的女兒大吼大叫，似乎完全沒有半點憐愛之情，但是此刻卻殷勤得不得了，爺爺叫他幹什麼他就幹什麼，絲毫沒有怨言。

爺爺瞥了一眼草灰，道：「這太少了，再弄同樣多的草灰來。」

老農的兒子將草灰與鞭子往地上一擱，二話不說，又跑出去了。

又過了一會兒，老農的兒子又端來一簸箕草灰。而同時，老農的紅棗茶也泡得差不多了。

爺爺指揮老農道：「你將那紅棗茶放在門檻上，對著外面大聲吆喝：棗子紅，紅棗子。紅事是早早生子，早早生子是紅事喲！」

爺爺又對老農的兒子道：「你先將你妻子扶到別的房裡去休息。然後你將這些草灰鋪在堂屋裡，每一個角落裡都要鋪到，千萬別遺漏了小地方。」

老農的兒子剛要動手，爺爺又叮囑道：「你自己不要踩著草灰了，草灰朝前撒，步子朝後退，最後歇在側屋的門檻上，知道不？」

老農的兒子點頭道：「您的意思是不是像用牛糞刷地坪一樣？」

那時候鄉村裡很多人家都沒有水泥地坪，都是黃泥土或者紅泥土。農人們將水田裡的稻穀收來之後，要隔三差五地將稻穀鋪在地坪裡曬，以免發霉變質。這也是為什麼我們那邊幾乎每家每戶屋前都有一個地坪的原因。可是稻穀曬完之後，收進屋裡時很容易將地坪的小石子、小泥塊也收進來，這樣，打出的米就有許多沙子，吃飯的時候容易硌牙。我小時候吃飯就經常吃到小石子，將門牙硌破了一個小缺口。有時見誰吃飯時突然吐出一大口來，那不是說他挑食或者菜不對味，而是因為他咬到小石頭渣滓了。

那時很少人家能造起一塊水泥地坪來，所以就有人想出了一個好辦法——將稀牛糞塗抹在地坪上，如給鋼板鍍漆一樣。牛糞有這樣一個好處，就是曬乾之後變得緊密而不容易鬆散，形成一層比較堅固的膜。

牛糞雖然不是讓人喜歡的東西，但是這樣處理地坪之後，曬稻穀的效果非常好。稻穀中幾乎沒有沙粒，在脫殼後經過一種叫「風叉」的裝置濾去糠殼，就不用擔心米粒上面還會黏附不乾淨的東西了。

而給地坪塗牛糞的時候，人們自然會避免自己的腳踩到還是濕軟狀態的牛糞，所以就一邊塗抹，一邊倒退著走。

老農的兒子學著刷地坪一樣的姿勢，將箢箕裡的草灰撒了整整一屋。然後，他雙手揉著痠脹的腰問道：「這下可好了吧？」

老農一面對著外面吆喝，一面側頭來看屋裡的情景。

爺爺站在側屋的門檻上將堂屋裡的每個角落細細看過一遍，回答道：「草灰撒得不錯，但是你還需要做一件事。」

「什麼事？」老農的兒子搓著手問道。

「你給我叫個接生婆來。」爺爺道。

「接生婆？」老農和他的兒子異口同聲驚訝問道。

18

「是的，接生婆。你們村裡應該有吧？有的話就近叫一個來。」爺爺問道。

老農的兒子張大了嘴，愣了半天才結結巴巴說出話來：「難道……難道她就要生產了？」他伸手指著他女兒的房間。

老農也愣了一愣，但是他立即恢復了神志，用肘捅了捅兒子，吩咐道：「叫你去你就只管去，問這麼多幹什麼？」說完又接著對外面吆喝爺爺交代的那幾句口訣。

老農的兒子嘟囔了幾句，很不情願地起身繞後門離去。

老農的兒子離去不久，擺在門檻上的紅棗茶突然有了異常的動靜。茶盅裡的水面本來是平的，可是此刻在挨著把手一處的茶水居然漸漸鼓起，然後順著茶盅的內壁往上「流」。雖然茶盅裡的茶水未見流失，但是水平面卻漸漸下降。顯然，有個看不見的「人」正伏在門檻上喝茶盅裡的紅棗茶！

發現這一突發狀況的不僅僅有我，爺爺和老農都發現了。老農嘴裡的口訣突然停住了，兩眼瞪得像燈籠一樣看著面前的奇怪現象。

爺爺見狀，急忙拾起早已準備好的鞭子，在空中用力一甩，「啪」的一聲驚動了我和老農，自然也驚動了那個看不見的「人」，附在茶盅內壁的水流立即跌落回來，茶盅裡波紋蕩漾。我猜想著那個「人」已經抬起頭來尋找這突如其來的甩鞭聲。

說到甩鞭，方圓百里可沒有一個人能比得上爺爺。每到耕耘的季節，便是牛最為辛苦的時候。偷懶的牛喜歡在田地裡哼哼唧唧的不出力，腳步走得慢，渾身不使勁。這樣，耕田的速度就慢了。這時，農人便揮動鞭子抽打偷懶的牛。但是，農人跟牛一般都是有些感情的，在抽打的時候並不使全力，頗有裝腔作勢的意味。

而爺爺更甚，他從來不將鞭子抽到牛的身上，而是揚起手來在空中畫一個圈，然後狠狠地一縮手，鞭子就糾結在一起，不打任何東西卻發出響亮的一聲來。牛聽得爺爺的甩鞭聲，便知道這是警告牠了，便聽話地賣力幹活。

一般人甩不出響鞭來，光口頭上吆喝沒有什麼實際效果，所以即使心疼牛也要抽打。

那個看不見的「人」顯然沒有被這聲鞭響嚇到，因為堂屋裡的草灰上顯出兩個淺淺的腳印來。如果是實實在在的人踩在那個地方，草灰就不會陷得那麼淺，恐怕草灰還會黏在腳上，讓地面露出一片空白來。可是那腳印沒有接觸地面，只是彷彿被人輕輕吹去了一層那樣。看來那個「人」是要進來看看聲音到底是從哪裡發出來的。

我明白了爺爺要草灰的原因了。清明節給已故之人燒紙時，第二天早晨起來很容易就看見紙灰上落有淺淺的腳印，那是前來收錢的先人們留下的。爺爺是要仿效這種情況從而知道這個借胎鬼站在哪個位置。

此時要紙灰當然是不可能，所以爺爺想到了效果差不多的草灰。

爺爺用手中的鞭子指著出現腳印的地方，喝道：「這戶人家雖然砍了你的樹幹，挖了你的樹根，可是你也在他家的地面上吸水喝露。既然你是樹，那就遵循樹的命，活著的時候給人果實，死了給人當柴燒。你有什麼不服的？」爺爺氣勢凌人，但是從他的眼睛裡我能看出，他對自己說的話並不是那麼自信。因為換了是他自己的話，他絕不會將門前的棗樹砍倒劈開，然後求得一團取暖的火。即使上山砍柴，他也絕不像有些人那樣將整棵樹扛回來，他只找些已乾枯的枝幹掰下，只要是還有青色的，他便不碰觸。

每次舅舅責怪他，他便說青濕的柴燒的時候煙薰眼睛。可是其他人都知道將青濕的樹枝、樹葉取回來後攤開在地坪裡曝曬照樣能用。

「我有什麼不服？我給了他們果實，給了他們庇蔭，他們卻將我置於死地？我不願這樣死去，我要活下來！」這次我真實地見證了「未見其人先聞其聲」，當然了，我最後也「未見其人」。

爺爺指著房頂，怒道：「屋頂的那個房樑不是跟你一樣？你有什麼特殊？

如果你知錯就改，我不追究；倘若你悔意不改，那我就對不住了。」

爺爺的話剛剛說完，突然一陣風起，將堂屋裡的草灰捲起。

「別跑！」爺爺大喝一聲，揚起手中鞭朝剛才有腳印的地方抽去。未料一鞭抽空。此時風將地面的草灰吹亂，再也看不清借胎鬼站在哪個地方了。

但是爺爺的目光仍在飛揚的草灰中搜索。老農急忙兩手平伸開來，攔住門口，以防借胎鬼從門口逃脫。

這時，老農的兒子帶著滿臉皺紋的接生婆氣喘吁吁地趕來了。他跑到門口就雙手撐在膝蓋上費力地喘息。接生婆額頭也出了些汗，但是不見得怎麼累，她見老農雙手攔住門口，沒好氣道：「你這老頭子！叫我來了又不讓我進屋嗎？」

接生婆肩膀上挽著一個紅布包，手裡拿一把繫了紅布條的剪刀。剪刀是新的，剪刀口鋥亮。腳是典型的「三寸金蓮」，看來也是深受封建社會裹腳的苦難。稀少銀亮的頭髮齊肩，臉是不健康的蒼白上襯著劣質漆一樣的粉紅。

老農急忙辯解道：「月婆婆，我不是攔妳，我是攔屋裡的借胎鬼呢！」說完，老農接著左顧右盼，期待能幫上爺爺一把。

原來接生婆叫月婆婆。

一般人聽見人家屋裡鬧鬼會立即嚇得拔腿就跑，哪裡還顧得上接生不接生！可是這個月婆婆踮起小腳來朝老農背後望，她見屋裡草灰瀰漫，竟然十分在行地詢問道：「裡面的道士正用草灰找借胎鬼的位置吧？可是光靠草灰這樣捉鬼可不行！」

19

老農聽了月婆婆的話，大吃一驚，瞪圓了眼睛問道：「月婆婆，看來您對借胎鬼非常瞭解？」老農雖然在跟月婆婆說話，但是雙手還在舞動，生怕裡面的借胎鬼趁機溜走。

月婆婆斜睨了眼看了看老農，一副被人瞧不起但是心有不甘的模樣，嘖怪道：「你不知道我是接生婆嗎？別說借胎鬼了，就是箢箕鬼我都見過。」然後，她舉起手中的剪子「咔嚓咔嚓」剪了兩下，得意洋洋道：「可別小看了我接生婆。道士是跟死打交道，我是跟生打交道呢！生和死，都是大事！要不怎麼有生死大事這種說法呢？你說是不是？」

除了屋裡捉鬼的那個人不是道士之外，月婆婆說得都沒有錯。因為一般的道士只有在人們送葬的時候吹吹打打，唸經超渡亡魂。這是與「死」相關的事情。接生婆雖然沒有道士那麼多玄乎的道具，只有一剪刀、一臉盆、一毛巾、一把草灰而已，但是她所做的事情確確實實與「生」有著莫大的關係。既然她與「生」有著莫大的關係，那麼遇到借胎鬼、箢箕鬼也是情理之中的事。

老農見月婆婆這麼說，不由得一喜，連忙揮手叫月婆婆進屋，嚷嚷道：

「妳既然知道，那就麻煩妳幫幫屋裡人吧！他可不是道士，是我從畫眉村請來的馬師傅。」

月婆婆聽老農說出屋裡人是馬師傅，身子微微朝後一仰，將剪刀塞進衣兜裡，拍著巴掌道：「原來是畫眉村來的馬師傅啊！早就聽說他的方術很厲害了。等他幫您忙完了，可得叫他給我家外孫算算姻緣。」

老農不耐煩道：「妳就先忙完我家的事再說吧！」

月婆婆哈哈大笑，道：「我可算是來對了。對於借胎鬼，我比任何人都要熟悉。」然後，她轉頭朝老農的兒子喊道：「你別閒著，快給我弄一臉盆的水來！」

老農的兒子不能進屋取水，慌忙跑到鄰居家端了一臉盆井水來。

月婆婆接過井水，又吩咐老農的兒子道：「你再去給我折一根清明柳的枝葉來。」

老農的兒子為難道：「柳樹倒是常見，可是我從哪裡給妳弄清明柳來？」

老農焦躁道：「你怎麼這麼笨呢？前面不遠的水塘岸邊長著的就是清明柳，你快去快回！」老農一邊說話一邊跺腳。爺爺在屋裡將鞭子甩得「劈啪」作響。

很快，老農的兒子又將一根臂長的柳枝送來。

月婆婆接過柳枝，又叫老農的兒子將井水端到大門前，然後將柳枝浸潤在臉盆裡。老農的兒子在一旁看不明白，想問又不敢問，只拿眼往他父親臉上瞟。老農雖知道清明柳，但是也弄不清月婆婆到底在做什麼。偶爾一陣風捲起草灰掠過，嗆得他連打噴嚏。

月婆婆將柳枝浸了一會兒，然後提出水面，朝堂屋裡揮去。水被甩開來，沾上飛揚的草灰，草灰增加了濕重，沉甸甸地跌回地面。

如此忙活了一陣，堂屋裡空氣中的草灰漸漸減少，最後變得跟先前一樣。爺爺已經出了一身汗。他抹了抹額頭，向月婆婆微笑示意，表示感謝。

月婆婆回以微笑，正要說話，卻「啊」的一聲身體失去平衡，手在空氣中拼命地揮舞。老農連忙上前扶住，可是月婆婆仍要往下倒。月婆婆大喊：「快！快！借胎鬼在我旁邊呢！」說完，她張開兩臂朝左邊的虛無抱過去。

同時，我和爺爺都看見了月婆婆左側的草灰有些異常。風已經停了，但是草灰還有挪動的痕跡。爺爺迅速將鞭子甩出，「啪」的一聲擊在月婆婆的左側。

這次揮出去的鞭子是直的，沒有相互撞擊，顯然是抽打在別的東西上才發出的擊打聲。緊接著，我們就聽到微弱的一聲「哎喲」。

叫喚聲雖小，肯定是咬著嘴唇發出的，可是我們每一個人都清清楚楚地聽見了。還沒有等我們反應過來，爺爺又揮出了第二鞭。這次「哎喲」一聲叫得響亮多了，顯然是被擊中的那個「人」痛得咬不住牙了。

月婆婆仍舊抱著左側的虛無，齜牙咧嘴地喊道：「它還在這裡呢！我抱住了。馬師傅您看清楚一點，別打在我身上了。我這把老骨頭可受不了這樣的苦。」老農見月婆婆自己都歪歪扭扭，幾乎要跌倒，急忙要上前幫忙。

爺爺喝道：「您就別上去了，你們把它夾在中間，我就不好抽打它了！」

說完，爺爺的第三鞭已經揮出。鞭子的力度也更大了，鞭子割裂了空氣，發出令人害怕的「忽忽」聲。鞭子的上部分準確無誤地朝月婆婆左側奔去。

「啊——」

這次不再是「哎喲」了。

「我看你躲到什麼時候！快快顯出形來！」爺爺將鞭子收回，做出蓄勢發出第四鞭的樣子，口齒嚴厲地喝道。

月婆婆的左側果然顯出一個白衣飄飄的男子來。背上的衣服有三道抽打的痕跡。最下面那道已經將衣服抽破，看來是爺爺的第三鞭抽打的。男子的面容俊秀，但是臉色略顯紅腫，如三國中的關公一般，不像是青年人應該有的膚色。

月婆婆見它已經現形，急忙放開雙臂。沒想到她的雙臂居然可以抱住一個年輕力壯的年輕「人」。

就在這時，閨房裡突然傳出女孩淒厲的叫聲。

月婆婆愣了一下，立即從衣兜裡拿出剪刀，看了看我們，最後目光落在老農的兒子身上，道：「你，跟我進去。你閨女快要生了！」

「快要生了?!」老農和他兒子同時叫嚷道。

月婆婆點點頭：「我從聲音裡就可以聽出來。」她指著老農的兒子道：「你把剛才裝水的臉盆拿進來。」然後，她又對老農道：「堂屋裡的草灰哪裡弄來的？你再弄一些來。」最後，她對那個白衣男子道：「你就等著做爸爸吧！可是誰知道會生出個什麼玩意兒來！」

20

白衣男子一愣，彷彿聽不懂月婆婆說的話。

老農弄草灰去了。月婆婆領著老農的兒子進了房，又關了門。

我們在外面等了許久，也沒有等到期待中的哇哇的哭聲。

過了幾分鐘，老農用箢箕提著草灰進來了，拉住爺爺問道：「我孫女生了沒有？我怎麼還沒有聽到小孩子的哭聲？」

白衣男子站在一旁，默不作聲。但是可以看出，他也有幾分緊張，眼睛濕濕的，如被煙燻了一樣。

屋裡的月婆婆聽見我們說話，喊道：「草灰來了，是吧？」

老農答應了一聲。

月婆婆大聲道：「你把草灰交給你兒子。」話剛說完，老農的兒子就打開門走了出來。老農連忙將草灰交給兒子，又忍不住怯怯地問道：「女兒還好吧？生了沒有？」

老農的兒子鐵青著臉，一句話也不說，從老農的手裡拿過草灰就轉身回去了。老農在原地呆成了一尊雕塑。那隻提過草灰的手垂在半空，遲遲沒有放下來。遲疑了好一會兒，他才喃喃道：「這麼久沒有聽到孩子的哭聲，是不是生下來的是死孩子啊？」末了，他將一雙分不清是傷心還是擔憂的眼神投向爺爺。爺爺沒有任何回應。

我隱隱聽見爺爺口裡唸叨著什麼，但是具體的內容聽不清楚。

這時，借胎鬼做出了一個令我驚異的舉動。借胎鬼居然朝爺爺走了過來，然後附在爺爺的耳邊說了幾句什麼話。爺爺居然沒有反常的舉動，腦袋微微側向借胎鬼一邊，聽得非常認真，還不時地點點頭。

老農見借胎鬼跟爺爺態度親暱，自然也是驚訝不已，張大了嘴指著爺爺，牙齒一張一合，說不出話來。

借胎鬼在爺爺的耳邊說完悄悄話，朝老農瞥了一眼，彷彿是告別，又彷彿是挑釁，然後朝大門口走去。

老農驚慌地看了看孫女的房間，又看了看借胎鬼，雙腿不住地打顫。我一開始還以為是老農害怕了，後來才知道，原來借胎鬼定住了他的腳，讓他動彈不得。而老農試圖抬起腳來阻止借胎鬼出門，可是腳下如負了千萬斤的鐵球一般移動不了半分。所以在我看來還以為是老農在打顫。

我焦急地拉了拉爺爺的手，道：「你再不阻止它，它就逃走了。」

爺爺嘆了一口氣，道：「讓它走吧！它的心願已了，不會再來煩擾老農他們一家了。我又何必一定要留下它呢？」

爺爺的話說完，閨房的門再次打開來。月婆婆大汗淋漓地走了出來，後面跟著老農的兒子。

而在同時，借胎鬼消失得無影無蹤。我是看著它從門口出去的，可是一出門便消失了，好像剛才那白衣飄飄的模樣來自於我的眼花。

老農的兒子垂頭喪氣，根本沒有精力去看看那個侵犯他女兒的人還在不在，垂低著頭就著門檻坐下，雙手抱住頭。

月婆婆雖也是筋疲力盡，但是沒有像老農的兒子一樣失魂落魄，她見了老農便搖頭道：「我從來沒有這樣接生過。我的剪刀和草灰根本沒有派上用場。」她從衣兜裡掏出剪刀，剪口鋥亮依舊。

老農嘴巴抖著，還是說不出話。

爺爺走上前，輕輕地拍了拍老農的後背。老農一陣劇烈的咳嗽，埋怨爺爺道：「你怎麼就放它走了呢！」說完也不聽爺爺的解釋，緊接著詢問月婆婆：「剪刀、草灰沒派上用場？是不是我孫女肚子裡的胎兒已經死了？」

老農又不等月婆婆的回答，一邊搖頭一邊唸叨道：「死了好，死了好！要是不死，我孫女以後可怎麼辦啊？」末了，他用一雙粗糙的手去擦拭眼角。

月婆婆眯著眼睛問老農道：「你說什麼死了？」

老農擦著眼睛道：「妳不是說剪刀什麼的都沒有用上嗎？難道不是我孫

女生下的孩子是個死嬰？」

月婆婆一巴掌拍在老農的肩膀上，道：「誰說你孫女生下的是死嬰？你孫女生下的根本就不是孩子，她生下了一棵樹苗！」

「生下了一棵樹苗？」老農驚訝不已。

月婆婆搖頭道：「真是搞不清楚了。居然生下一棵樹苗來！我原來聽別的接生婆說過接生蛇的，但是從來沒有聽說接生樹苗的。哪裡想到居然就在我眼前發生了！怪事！真是怪事！」看來月婆婆雖經歷過借胎鬼和筦箕鬼，但是從來沒有接生過怪胎。

我終於理解為什麼剛才沒有聽見孩子的哭泣聲了。

坐在門檻上的老農的兒子插嘴道：「真是醜事！真是醜事！我要把那棵小樹苗劈成柴燒掉！」

爺爺厲聲道：「這可萬萬使不得！你既然欠下了孽債，就要還。不然它還會來找你的。」

老農的態度則比他兒子好多了。他聽了月婆婆的話，甚至有幾分欣喜，剛才臉上的陰霾一掃而空，對著空中作揖道：「這可好多了！比生下一個活孩子或者死孩子都要好！老天有眼，對得起我這個老頭子！」

老農的兒子不滿地問道：「好什麼好？」

老農道：「生個活孩子的話，連累了我家孫女；生個死孩子的話，雖然不拖累，但是畢竟名聲不好；現在生了樹苗，一不連累孫女，二不會壞了名聲，可不是好事嗎？」

老農的兒子大手一揮，帶著怒意道：「爹，我看你是老糊塗了。生個樹苗有什麼好的？生個孩子，不管死活，這是命中註定。但是生個樹苗算什麼？妖怪？怪胎？人家哪個不會在我們背後指指點點？生個孩子的話，死活都算是我的孫子，如今生了這植物，我該叫它什麼呢？難道叫我要認一棵樹做孫子不成？」

爺爺接過話頭，大聲道：「你說得不錯！它就是你的孫子！你不但不可以劈了它，你還得養著它，叫它一聲『孫兒』。你……」

「我的孩子呢？」爺爺的話還沒有說完，閨房裡爬出一個披頭散髮的人來。

21

老農見孫女出來，急忙攔住，勸道：「孩子，妳剛剛生產完，吹不得風的，快回屋裡去歇著吧！」

「我生下的是一棵樹苗？」女孩抬起疲憊的眼皮，看著她的爺爺。

老農心酸道：「都是我們不對，不該把棗樹砍倒燒掉。」

女孩道：「爺爺，您別說了。我都想起來了，以前的事情我都想起來了。

既然發生了，那就沒有必要這樣。」然後她緊緊抓住老農的袖子，央求道：「求求您，別讓爸爸把樹苗劈了。我們要種下它，並且養活它！」

老農用力地點了點頭，將女孩攙扶回到屋裡去。老農的兒子呆呆地看著女孩返身進屋，拳頭攥得死緊死緊。可是等老農一個人出門來的時候，老農的兒子忽然沒了力氣似的鬆開了拳頭，語氣低沉地問道：「她還好嗎？」

老農低吼道：「你還知道關心她？我以為你只關心自己的面子呢！」

然後，老農走到爺爺身邊，溫和地問道：「馬師傅，真是麻煩您啦！耽誤您的時間太多了，真是不好意思。您老伴在家肯定等得不耐煩了。後面的事情就交給我來辦吧！您可以早些回去。」

老農這麼一說，我們才發現時候確實不早了。爺爺咳嗽了兩聲，朝我揮揮手道：「亮仔，我們回去吧！」

於是，我們跟著月婆婆的身後走了出來。

走出不遠，月婆婆朝我們嘟嘟囔囔道：「這家人不會做人呢！大年初五的，我們過來給他們幫忙，臨走的時候也不知道給我們送點禮，真是！」

我正要替老農辯解說他們被目前的狀況搞昏了頭，沒有時間顧及這些小的方面。未料背後響起了老農的兒子的聲音：「馬師傅、月婆婆，還有那個小外孫，都等一下！都等一下！哎喲，你們怎麼走得這麼快！追得我累死了。」

回頭一見他的手裡拿著幾盒香菸，我們就明白了是怎麼一回事。

老農的兒子喘著粗氣，將手裡的香菸一盒一盒地分給我們。雖然他知道我是學生，但是還是塞了一包香菸在我手裡，然後拍著我的手道：「對不起，實在對不起，剛剛的情況實在是太混亂了，我到現在都還沒有理出個頭緒，請你們不要見怪。家裡沒什麼好東西，只有些菸了。小小意思，還請你們莫要見笑。」

月婆婆雖然是不抽菸的，但也喜孜孜地將香菸往衣兜裡塞，客氣道：「你這人也真是的，都是一個村的人，何必這麼講究呢？助人為樂嘛，哪裡會在意這些小事情？你快回去吧！家裡還有好多事等著你跟你爹商量呢！」

我對月婆婆先前保有的那麼一點點好感，就在此刻分崩離析。

老農的兒子聽了月婆婆的話，感激道：「您能這麼想就好。那我先回去啦！馬師傅和那個小外孫，你們路途比較遠，路上好走啊！」

爺爺「哎」了一聲。

老農的兒子後退了兩步，然後轉身離去。月婆婆撫摸著鼓鼓的口袋，一張核桃小嘴唸叨道：「虧得你想起來，不然看我以後還去你家？哎，不過是菸，我又抽不了，只好去小商店去折價兌換點糖、鹽了。」

爺爺聽了，呵呵一笑。

月婆婆眼珠子一轉，對爺爺諂笑道：「您是畫眉來的那個非常厲害的馬師傅吧！您能不能給我算一個人的姻緣？我外孫都快三十歲了，年年過年都不見他帶個女人回來，我都心急死了。我記得他的生辰八字，您給我看看他的婚姻在什麼時候動，好嗎？」

我怕爺爺答應，急忙搶先回答道：「不行啦，我們還要走很遠的路才能回家呢！時候不早了，下回有機會再說吧！」說完，我急忙拉住爺爺加速往前走。

爺爺是一般不會拒絕人家的，但是此時他的臉上明顯出現了疲態。他不好意思地朝月婆婆揮揮手，道：「下次吧！」

月婆婆像隻蒼蠅一樣黏上了我們，她眼珠子又滴溜溜轉了幾圈，然後從衣兜裡掏出了剛才接到手的香菸，拼死拼活往爺爺口袋裡塞，嘴上說道：「您就幫我掐算一下嘛，又不是什麼麻煩事。這包香菸給您了，就當是一點辛苦費。您幫我算算吧！反正時候不早了，也不在乎這一點時間……還可以換包香菸嘛，多好！」

爺爺尷尬道：「呵呵，我現在很少抽菸了，肺不好。」

月婆婆沒想到食指與中指枯黃、渾身散發著淡淡菸味的爺爺居然是很少抽菸的人，她愣了一愣，接著又無比執著地說道：「很少抽菸也沒事，您就收著吧！」此話剛剛說完，她就立即報出了外孫的生辰八字。

讓我意想不到的是，當爺爺聽月婆婆說出她外孫的生辰八字之後，態度立即發生了一百八十度的轉變，不但不阻止月婆婆將香菸塞到衣兜裡，反而有些迎合似的問道：「妳外孫姓什麼？」

我更是驚訝了，人家姓什麼跟生辰八字有什麼關係？以前從未見爺爺還往問報出生辰八字的人要姓氏。

月婆婆顯然也被爺爺突如其來的一問弄得有些傻，但是她很快恢復了原樣，回答道：「我外孫姓栗。」

當時我沒有聽明白，急問道：「這裡是姓李的村子，您的外孫怎麼也姓李呢？」

月婆婆擺了擺手，解釋道：「我外孫姓的栗不是李樹村的李，是西字下面寫一個木字的栗。」

爺爺聽了，胸有成竹地問道：「那麼我再問問，您的外孫大腿內側是不是有很大一塊紅色的胎記？」

這回月婆婆無論如何也保持不了平靜了。她雙手一顫，臉上血色全無。

「他一直不願意讓別人知道他有胎記，這事只有他爸媽、我，還有他自己知道。您……您是怎麼知道他有一塊胎記的？」

22

我也對爺爺說的話備感驚奇，不過我立即找到了一個自以為很合理的解釋，我問道：「難道你見過月婆婆的外孫？」

我之所以這樣問，是因為知道爺爺不可能根據人家報出的生辰八字和姓氏就能推算出人家的大腿內側是不是長有紅色的胎記的。那麼合理的解釋只能是爺爺曾經認識過一個說出過自己的生辰八字，並且告訴過爺爺他姓栗的人。

無巧不成書，而那個人恰好就是月婆婆的外孫。但是我忽略了一個問題，那就是月婆婆剛剛說過的，她的外孫對別人很忌諱說起自己難看的胎記，這件事情只有為數不多的幾個人知道——她、外孫的父母、外孫自己。既然他如此忌諱，自然不可能擼起褲子來告訴爺爺他的胎記。

果然，爺爺搖頭表示他不曾見過月婆婆的外孫。

「我不認識她的外孫。」爺爺道，眉頭擰得很緊。

我還在百思不得其解的時候，月婆婆卻由驚轉為喜，她樂孜孜道：「馬師傅，您真是太厲害了！根據我報的生辰八字和姓氏就能算出我外孫的胎記來！真是神了！哎呀哎呀，那您算出的姻緣就更加了不得啦！看來我那包菸沒有白送。」月婆婆搓著雙手羨慕又欣喜地看著爺爺，彷彿只要爺爺一點頭，她牽腸掛肚的外孫下次過年就一定能帶個如意的好孫媳婦回來。

可是爺爺的回答讓她涼了半截。爺爺道：「不好意思，我不是根據生辰八字或者姓氏來推斷的。」

月婆婆呆了一下，半是自我安慰半是懷疑地問道：「您既不認識我外孫，又不是算出來的，那您是怎麼知道胎記的事情的呢？」她那焦急而又小心翼翼的神情，彷彿是一個希望的肥皂泡飄浮在她面前，她害怕它破滅，又害怕自己的手碰碎了它。

爺爺突然冒出一句像是回答又不是回答的話來：「也許妳外孫在前世經歷過什麼重要的事情吧！」

「前世？」我和月婆婆異口同聲驚問道。

爺爺自覺有些失言，於是敷衍月婆婆道：「時間真的不早了，我和我外孫急著要回去。妳外孫的姻緣，要看他自己，我是算不出來的。這菸還給妳。」爺爺從衣兜裡將香菸掏了出來，塞回給月婆婆。

不知道是月婆婆驚愕過度，還是眼見得不到想要的結果所以收回禮物，她癡癡地接住了爺爺遞回的香菸，嘴裡還在重複著兩個字：「前世……前世……前世……」

爺爺見我呆呆地看著月婆婆，偷偷扯了一把我的衣服，低聲道：「快走吧！要不她又要拉住我不放了。」

我反應過來，急忙跟上爺爺的腳步。

月婆婆目光雖然有些癡呆，但是兩個人在她眼前移動她還是看得見的。不過她知道自己不好再硬生生拉住爺爺，便兀自嘀咕道：「你們算命人就是這樣！什麼都只挑好的說，一遇到什麼不好的，就敷衍說事情都要靠自己，或者天機不可洩露。」說話聲音不大不小，假裝是自言自語，但是剛好讓她想要聽見的人聽到。

爺爺臉色一陣尷尬，但是這次出乎我意料的沒有回頭，直朝回去的方向奔走，彷彿是要甩掉背後的影子。

這時天空已經出現了一輪淡月。我在後面，看著爺爺的影子如煙一般淡薄，似乎一陣微風就可以將他的影子吹散。我立即用力地甩了甩頭，想把不好的寓意甩出去。剛才在老農家裡聽見爺爺咳嗽了兩聲，我就有些擔心爺爺的健康了。

似乎是我的預感靈驗了，這時爺爺又咳嗽了兩下。

我回頭看見月婆婆失望地走了，又不免感覺有些對不住她。她的影子也如爺爺的一樣，淡薄而容易吹散。

但是見了爺爺疲憊的模樣，對月婆婆的愧疚便消失殆盡。畢竟爺爺太累了，他需要休息。不但我應該阻止他給人掐這算那，他自己更應該主動拒絕，為他自己爭取一些休息的時間。春節一過，他還要下水田裡幹農活。舅舅長年在外，只能在秋收的時候回來幫幫忙，家裡的田地夠他耕種的了。

當時我的腦子非常亂，一方面擔心爺爺的身體，一方面想著《百術驅》的去向，一方面擔心月季的變化，還有新的琢磨不透的事情——爺爺怎麼知道月婆婆的外孫有著一大塊紅色的胎記呢？

就這樣，我帶著千萬思緒離開了李樹村，離開了那位可憐的老農。那位老農事後是不是讓兒子劈斷了樹苗，抑或是不是聽從孫女的話把它養活了，我都不得而知。過完年，回到學校之後，一次我在去食堂的路上偶然聽得有人說李樹村出了件怪事，一個年輕的少女在家門前種了一棵小棗樹，經常在澆灌的時候喊小棗樹「兒子」。

我急忙拉住那位同學詢問更具體的細節，可是那位同學說他不是李樹村的人，他是聽一個居住在李樹村的親戚說的，知道的也就這麼多。

其實，在從李樹村回到畫眉村的路上，我還想問爺爺借胎鬼在他耳邊說了些什麼。但是爺爺見我對胎記的事情感興趣，便先給我講了些有關胎記的事情。我一邊聽著胎記的事情，一邊想著回家後再問借胎鬼說了些什麼話。

「你是不是想知道我是怎麼知道月婆婆的外孫有胎記的？」爺爺踩著淡煙一般的影子，忽然打斷了我亂麻一樣的思緒。

「嗯？」我一時想著亂七八糟的東西，沒來得及聽清爺爺的話。

爺爺笑了笑，將剛才說過的話重複了一遍。

「那當然了。」我點頭道。

「月婆婆認為我是根據生辰八字和姓氏算出來的，你肯定不相信吧？」爺爺問道。這句話顯得有些不符合爺爺的性格，但是足見爺爺對此事的謹慎態度。

「當然不相信。」我簡短地回答道。

「好啦，今晚先到這裡。」湖南同學挪動了一下坐得僵硬的身子。

一位同學意猶未盡道：「我小時候吃西瓜特別怕吃進西瓜子，因為媽媽嚇唬我說，西瓜子會在我肚子裡生根發芽，然後從肚臍眼裡長出西瓜藤來。沒想到這個故事裡卻能將棗子播進人的肚子裡，真是匪夷所思啊！」

另一同學做了個鬼臉，說：「最恐怖的是居然還要認那棵棗樹做兒子、孫子……」

胎生畫記

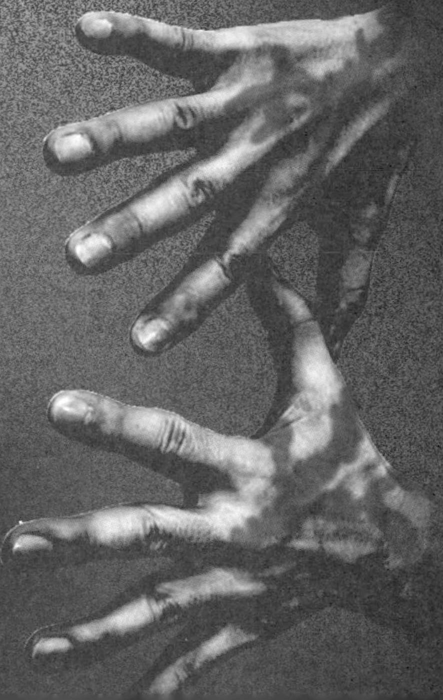

23

零點零分。

「你們或多或少身上帶有一點胎記吧？」湖南同學問道。

前來聽故事的同學們紛紛點頭，居然沒有一個說自己沒有胎記的。不知道是他們所有人真的都有胎記，還是急於聽詭故事。

「據說，胎記是人前世的記憶。」湖南同學神神秘秘地說道。

一位同學急忙道：「我的胸口有一個硬幣大小的紅色胎記，有人曾經開玩笑說，也許我上輩子是一個士兵，被敵人用槍射死了。這是真的嗎？」

湖南同學擺擺手：「是真是假，聽完我後面的故事再說吧！」

「你相信胎記是前世的記憶嗎？」爺爺的話如古寺深夜的鐘聲，清越而神秘。

「前世的記憶？」

「嗯，前世的記憶。」爺爺中肯地回答道，「胎記又叫『胎生青記』，常發生在腰部、胸背部、臀部和四肢，顏色多為青色或藍色，不影響嬰兒健康，不需治療，出生後數年內自行消失。但是少數人的胎記在顏色和形狀上會比較特別，消失得很慢，甚至不會消失。」

「哦！」我點點頭。爺爺說的我能理解，因為胎記並不是少到鳳毛麟角，我自己的左手上就有少許的淺灰色胎記。而我們村裡我的一個玩伴有一身的蛇鱗狀胎記。只是我沒有見過大塊的紅色胎記。

爺爺又道：「那些胎記都是人前世的記憶，或許是前世摔傷留下的疤痕，或許是燙傷的，或許是刺傷的。如果那些傷不是很嚴重，轉世投胎後不久就會消失，一般的胎生青記都會消失。但是如果前世受的傷特別嚴重，或者那個傷給前世留下了深刻的記憶，比如家仇、情殺等等，那麼轉世投胎後，那個胎記還會伴隨那個人很久，甚至是一生。」

我若有所悟，邊走邊說道：「爺爺，你的意思是，月婆婆的外孫那個胎記就是前世受的很嚴重的傷？或者說，那個胎記是他上輩子記憶深刻的傷口？」嘴上雖然這麼說，但是我心裡還是有疑問：月婆婆說的是她外孫這輩子的生辰八字，自然要爺爺掐算的也是這輩子的事情，爺爺為什麼要算到人家上輩子去呢？就算爺爺多此一舉算了人家上輩子的事情，那又為什麼要諱莫如深地拒絕月婆婆呢？

爺爺躍過一個小坎，提醒我小心腳下，然後回答道：「我也這麼想，但是不確定。」

爺爺模稜兩可的回答讓我更加迷惑。他沒有說「對」或者點頭，卻說他也是這麼想的。既然是「想」的，自然沒有經過掐算。

月婆婆說出了她外孫的生辰八字，但是爺爺居然沒有掐算，只是「想」了一「想」！這完全不是爺爺的所作所為嘛！

「想？不確定？」我故意提高了聲調詢問爺爺。

爺爺朝我一笑，轉移話題道：「快些走吧！奶奶肯定還在家裡等我們呢！你是跟我一起去畫眉村呢？還是半途回自己家裡睡覺？」

「那你和我一起留在我家住好了。」我建議道。

爺爺搖頭道：「這可不行。我不回去的話，奶奶會擔心我們是不是路上遇到了什麼麻煩，總要一個人回去才好。」他朝我揮揮手，補充道，「這樣吧！你就半途回自己家，我還是直接回到畫眉村。」

本來我有了一些睏意，想早些躺下休息，但是想到爺爺一個人翻山越嶺，便有些不放心。

「我跟你一起回畫眉村。」我幾乎是跳躍著避免踩到爺爺的影子。在平時，我在爺爺面前從不避諱這些的，但是今晚見爺爺的影子淡到幾乎沒有，生怕踩到後會讓他連這點殘餘的影子都丟在昏暗的羊腸小徑上。

爺爺見我如此小心，開朗地笑出聲來，道：「亮仔，不用怕。你是我外孫，拼命地踩也不會對爺爺怎樣的。」

我微笑點頭，但是腳步還是小心翼翼地避開爺爺的影子。

這時候，前面的路愈加虛幻，兩旁的山開始虛幻，不知在何處的小溪的流水聲開始虛幻，連躲藏在樹林草叢的蟈蟈聲也開始虛幻。一切都變得虛幻，彷彿這裡的夜間不再屬於人世，我和爺爺正踏在一條異界的小道上。因為爺爺在，所以讓我覺得此時是爺爺領著我慢慢從一個世界走向另一個世界。我們要前往的世界才是我們真真實實生活的世界。

走了一會兒，來到一條夾在兩座光禿禿的山之間的小路上，爺爺突然將手擱在我的胸口，壓低聲音道：「等一會兒，讓讓道。」

我不禁一驚。除了腳下的路虛幻得如一條隨風飄浮的白布條，走起來都沒有一點踏實感，前面的山山水水更是模糊不清了。爺爺的眼睛雖然比我看得清，但是總不能他看見有人走過，而我卻連個人影都看不見吧？

心中雖有疑問，但是爺爺叫我停下，我便乖乖停下。

果然，很快一陣清涼的風從我們的前面掠過，嗚嗚的風聲如人在哭泣。我的臉上感到一陣擦了清涼油一般颼颼的涼意。兩邊的山上枝葉搖動，發出沙沙的聲響。

這陣風過後，我輕聲問爺爺道：「剛才過去的是什麼？」

「看山鬼。」爺爺道，「原來人們窮，家裡的柴火都要到山上去弄，有的人撿一些枯草乾柴也就罷了，但是貪心的人會掰樹枝、砍小樹，更貪心的半夜上山來偷樹。所以那時候每個村裡都有一個看山人。看山人手裡拿一個銅鑼，每到晚上就出來巡邏，看見有人偷樹就拼命敲鑼，叫村裡人來抓賊。」

爺爺說得不假，不僅僅是山裡有看山人，連池塘邊都有看塘人，為的是防止別人釣魚。那時候稍大一點的池塘都是公家的，魚自然也是公家的，所以釣魚是不被允許的。

「看山人巡邏慣了，死後仍擔心自己守衛的樹木被偷，化成鬼了還要來守山。現在人們富裕了，村裡都取消看山人了，但是有人還聽到過看山人的銅鑼聲。」爺爺道，「不過，最近幾年倒是沒有聽人說起過銅鑼聲了。」

「是因為現在沒有人半夜出來偷樹了吧？」我問道。

爺爺笑道：「應該說是人們的生活好了。那時候我也出來偷樹呢！怪不得人，大雪天要凍死人，又沒有買炭的錢，不偷怎麼行？我們村裡很多青年就跟著我出來偷樹，因為他們知道我不怕看山鬼。」

我打趣道：「以前不怕，現在卻主動給看山鬼讓路了。」

爺爺呵呵笑道：「是啊！對比鬼來說，人更怕窮。窮急了，就連鬼也不怕了。」

24

我跟爺爺就這樣且行且聊，不知不覺中已經走到了常山村與畫眉村之間的山路上。爺爺又咳嗽了兩聲，我不由得擔心地問道：「爺爺，你應該好好休息了，這幾天不管誰叫你幫忙，你都要拒絕，不然身體吃不消的。」

爺爺居然停下來，一手扶住路邊的桐樹，一手反過來輕捶後背，胸膛裡發出「咚咚」的迴響，彷彿他的身體裡是空的。

我急忙上前扶住爺爺，幫他拍打後背。

「幫我點根菸。」爺爺抬起頭來，臉色非常難看。

他一直都知道我反對他吸菸，在我面前犯了菸癮也只將香菸在鼻子前滾動一番又放回衣兜，可是，現在他卻叫我幫他點上香菸。

正在我猶疑間，爺爺扶住桐樹的手放到了我的胳膊上，我感覺到一陣寒意透過他的手掌傳到了我的肌膚之上，如同堅硬的松樹針葉穿透衣服。爺爺的手在微微顫抖，搖得我心中發怵。我感覺到爺爺好像一棵被齊地面砍斷的桐樹，正「吱呀吱呀」地要往下倒。

「嗯，你的菸放在哪個口袋？」我決定這次不阻止他吸菸。我的手直接往他經常放菸的衣兜摸去。他在哪個口袋放菸，哪個口袋放火柴，哪個口袋放錢，我都一清二楚。我這樣問只是為了讓他轉移注意力，也許可以緩解他的難受。

「在左邊靠下面那個口袋。」爺爺能感覺到我的手已經摸到了香菸，但是他仍努力回答我的問話。

我將香菸塞在他的嘴上，然後去掏火柴。

當菸與他的嘴唇接觸時，我聽見他的鼻孔裡長長地呼出一口氣，如耕種了一整天的老水牛終於在鋪滿了金黃色稻草的牛棚裡躺下來一樣。

可惜我很少用火柴了，爺爺的火柴一連劃斷了三、四根，也沒有一根能冒出火星來。我越用力，那火柴倒跟我作對似的越沉寂，讓我聽不到「刺啦」的爽快聲。火柴盒的一個磷面被我劃爛了。

爺爺輕嘆一聲，道：「你別太用力，將火柴頭挨在磷面上，輕輕一拉就可以了。」

我立刻沉下心來，按照爺爺說的做了。

「刺啦——」火柴燃了。如果對面有張鏡子，我肯定可以看見一張自嘲的臉。沒想到情急之下的我連根火柴都劃不燃。

我小心地將燃著的火苗送到爺爺的嘴邊。爺爺將菸頭對準了火苗，用力地吸了一口，他的手立刻就不抖了，臉上緊密的皺紋也如春天融化的冰一般化解開來。

「亮仔，爺爺我真的不行啦！」爺爺看著猩紅的菸頭和嫋嫋升起的煙，忽然對我說出這麼一句話來。那升騰起來的煙似乎聽懂了爺爺的話，忽然一震，歪歪扭扭地升入無盡的黑暗之中，由於天色較暗，我看不到它們散去的樣子。

「如果你不吸菸的話，可以活到一百歲。」我盯著煙，看著它升入未知命運的黑暗中去。

爺爺淡然一笑，道：「我活那麼久幹什麼呢？到時候走不了、動不了，還要拖累你爸媽和你舅舅呢！該放手的時候就要放手，我不活那麼久。」

「你們養大媽媽和舅舅不知費了多少心血，等你老了，他們自然會好好照顧你的。」我辯解道。

「孩子，你不懂的。」爺爺摸了摸我的頭，慈祥無比。自從我上高中以後，爺爺從來沒有摸過我的腦袋了。這次雖然是爺爺情到深處所致，但是我仍然不免感覺到一絲尷尬。為什麼會有尷尬，我卻說不清。

菸吸到一半，爺爺將菸丟到腳下踩滅，道：「走吧！我好多了。以前我可捨不得將還沒有吸完的菸扔掉呢！」說完，爺爺眷戀的眼神朝腳下的黑暗裡瞟了一下。

本來我想接著詢問爺爺有關胎記的事情，可是見爺爺身體狀況不樂觀，便將疑問嚥進了肚子裡。

剛從山上下來，爺爺家裡那扇亮著的窗便出現在眼前。奶奶果然還在等著我們回來。

我們立即精神一抖擻，加快了腳步。

跨進家門，我連忙喊了兩聲「奶奶」，可是沒有聽到回應。我心下生疑，照往常的習慣，一般是奶奶站在門前或者地坪裡探頭探腦地望我們回來，即使她在屋裡忙其他的事情，只要我喊出兩聲，她便會連連回應著走出來。對於這種場景，我在未進門前就可以想像得到，年年如此，歲歲如此，就像學校裡學到的數學公式一樣不容置疑。

我當下感覺很不適應，差點懷疑我跟爺爺是不是走錯了門，但是沒有任何不祥的預兆。我已經習慣這種場景十多年了，不會相信任何外力可以破壞它。可是往往就是我們認定的東西，隨著時光的推移正以看不見的速度離開我們。你已經習慣了的既定生活，也許會就在第二個太陽升起的早晨發生翻天覆地的變化。但是在改變之前，你是萬萬想不到這種改變的。

自然，我也想不到。

「你奶奶是不是犯睏先睡了？」爺爺這樣寬慰我道。但是他的口氣透露出他自己也不相信這樣的說法，並且爺爺先於我急急地跨進了裡屋的門。我急忙跟上。

跨進裡屋的門，我們一眼就看見了垂頭坐在火堆旁的奶奶。

「奶奶，奶奶！」我不敢走過去，站在離她四、五尺遠的地方叫喚。我感覺腳下沉重無比，似乎被數千斤的重量拖曳著。

爺爺也頓了一頓，輕聲問了句：「您老人家是不是睡著了？等不了就不要等嘛。」

奶奶還是沒有動。火堆裡的乾柴燒得只剩下了短短一截，火也已經熄滅了，只有暗紅的炭在一層白色的灰下一深一淺地亮著，彷彿它們也有呼吸一般。

奶奶的臉就這樣被不甚明亮的炭火映照著，像被均勻地塗上了一層紅色顏料。奶奶的腦袋垂著，像一朵委靡的、不堪頭顱重負的向日葵。

25

爺爺見奶奶半天沒有動靜，便躡手躡腳地走了過去，像個盜墓賊偷取墓中的寶物一般小心翼翼地伸出手，在奶奶的肩頭輕輕地觸碰了一下。

「嗯？」奶奶終於扭轉了頭，睡眼惺忪地看了看爺爺。

我和爺爺都暗暗吁了一口氣。未料奶奶接下來的話卻讓我們驚奇不已，奶奶囁嚅道：「老伴啊，我恐怕是不行了。」她那一句話拖得很長很長，彷彿說話時沒有辦法保持呼吸，得抑制住呼吸才能慢慢說出來。

我心裡一個「咯噔」。

爺爺自然是被她的話嚇了一跳，但是隨即穩定了情緒，勸慰奶奶道：「看妳說的什麼話！快睡吧！快睡吧！」

奶奶長嘆了一口氣，在爺爺的扶持下巍巍顛顛地走向床邊。爺爺回頭朝我使了個眼色，我便拿了濕手巾在臉上胡亂抹了一通就睡覺去了。

第二天，正月初六，爸爸媽媽還有弟弟都來了。爺爺要嘛是在初二接我們一家四口來，要嘛是在初六。過年的時候，外嫁的閨女都會挑個日子回一趟娘家，送點年禮，吃一餐飯。

我開始還有些擔心奶奶第二天做不了這麼多人的飯菜，但是早上起來見奶奶紅光滿面，精神抖擻，與昨晚的那個狀態完全不一樣，我心裡的一顆石頭才落了地。但是昨晚她說的那句莫名其妙的話，仍讓我隱隱地擔憂。我偷偷看了看爺爺的神色，他的每一條皺紋都是舒展的。應該沒有什麼事，我心裡這樣想著。

而後來我才知道，那段時間爺爺確實太累太忙了，一點空閒都被別人借去了，根本無暇顧及自己身邊的人。

直到中午我們一起吃完了團圓飯，奶奶還是一如既往，笑顏逐開。外嫁的閨女在回娘家的那天，按禮數還要到墳山上去拜祭祖先。每個祖先的墳墓前插三炷香，放一掛炮。然後由外嫁的媳婦帶著外孫在墓碑前行禮磕頭，求得先人們的保佑和庇護。

那天的天氣還不錯，陽光不甚強烈，曬得人身上暖暖的。因為前些天下了一場雨，路面還是有些濕滑，來來往往的人將路中央踩得稀爛。

吃完飯，喝了茶，我們便提著一袋鞭炮往墳山上走。

一路上，奶奶和爺爺還給我們說了些先人的事蹟，說日本鬼子在常山上駐紮的時候，姥爹被抓去挖過金子，後來他憑著一根扁擔半夜逃了出來。又說姥爹的原配死得很早，我和弟弟知道的姥姥是後繼的。

從村子裡穿出去，爬上一個兩邊都是陡崖的小坡，進入一個兩邊長滿了雜草長刺的小道，被不知名的刺掛了好幾次衣服，我們終於來到了先人的墳前。墳頭的雜草和小樹顯然早被爺爺整理過，雜草被拔了去，小樹被砍成短短一截，樹枝還在不遠處躺著。

爺爺道：「這是你們姥爹的墳。」然後指著另一個山頭，又道：「你們姥姥的墳在那邊。」

由於後繼姥姥比姥爹年紀小很多，所以他們去世的時間間隔很大。埋葬姥爹之後，原先留的「雙金洞」塌了一半，等後繼姥姥去世的時候已經不能用了。所以姥爹和姥姥的墳墓沒有做在一起。

爺爺笑道：「你姥爹肯定要怪我沒有將他們倆埋在一起的，等我去了那邊還要向他老人家解釋。」

媽媽在旁不悅道：「大過年的，看你說的什麼話！」

爺爺呵呵一笑，將鞭炮在墳頭攤開，用菸將引線點了。劈劈啪啪的鞭炮聲響徹山谷，回音震盪。然後爺爺大聲道：「您看看，曾外孫都來給您拜年了，您在天之靈多多保佑他們啊！」說完，爺爺恭恭敬敬地給墳頭插上三炷香。

拜完了姥爹的墳，接下來去姥姥的墳。程序差不多，就不贅述了。

問題就出在回來的路上。

當走到山腳下的時候，奶奶的身子突然一停，然後像被抽了骨頭似的往地下倒去。離她最近的媽媽想過去扶她，但是已經遲了。奶奶癱倒在地，兩眼翻白，口吐泡沫，渾身痙攣。

這一幕來得太突然，我們全都大吃一驚，立即抬著奶奶往附近的醫院趕。醫院診斷出來，說是高血壓。

從此以後，奶奶的手腳就不怎麼聽使喚了，走路都要靠著椅子一點一點地挪動。奶奶的病拖了不久就去世了。

奶奶出事後，親家潘爺爺就開始笑話爺爺，說他的掐算沒有用，到頭來還沒有防著最親近的人出事。爺爺反駁道：「就算是諸葛亮，也是碰巧看到了星象才知道自己陽壽不久了嘛。就算他擺了七星燈，也沒有算到會被魏延踏滅本命燈嘛！」

後來在奶奶彌留之際，潘爺爺跟爺爺都算了燈滅的日子，潘爺爺這才信服爺爺的掐算。

奶奶離去之後，爺爺一個人的時候經常嘆息不已。我在隔壁房裡聽到爺爺嘆氣，心裡也跟著難受，但是沒有合適的勸慰語言可以說。

之後的很長一段時間裡，爺爺沒有幫人掐算或者做法事。別人有事上門來找他，他只是木然地呆坐著。等人家說完了，他呆呆回答一聲，「噢」，然後就不再說話。到了這個時候，他還是不懂得拒絕別人。但是人家看見他這副模樣，也只能無可奈何。

這段時間裡，爺爺迅速蒼老，皺紋比以前多了許多，白頭髮開始大面積地出現。那個月季的情緒似乎受了爺爺的影響，每次來到我的夢裡時都不說一句話，只是神情木然地看著我，看得我心裡害怕。

每次夢到月季之後醒來，我都輕輕悄悄地走近它，摸摸它的枝葉，感覺它的枝葉軟綿綿的，像是橡皮泥捏成的一樣。於是我睡不安穩了，擔心它斷掉或者枯死，半夜趿著拖鞋去水缸裡勺一些水給它澆上。

26

一個晚上，我已記不清是第幾次半夜起來給月季澆水了。當我捧著一茶盅清涼的潲水走回房裡的時候，忽然被一個女子攔住。她低著頭，面容上有幾分悲戚。

我吃了一驚，差點將手中的水灑了。

定神一看，那個女子就是我見過的依附在月季上的剋孢鬼。不過她變得更加好看了，令我出乎意料的是她的氣色也很好，完全不是我想像中病懨懨的模樣。看來我先前的擔心是多餘了。

「妳好！」我慌忙放下手中的東西，跟她打招呼。不知道為什麼，我突然多了一分尷尬和不適。如果是先前那樣，即使長得恐怖一點，我心中也沒有這麼疙疙瘩瘩。

「呵呵。」她笑了一下。好久都沒有見她的嘴巴動過了。這次見她發出聲音來，我反而覺得有什麼事情要發生。「這些天真是讓你費心了，不過這水以後不用澆灌了。」她瞥了一眼微波蕩漾的水面，說話的語氣不是很高興。

我心裡一緊，慌忙看了看放在窗臺上的月季，它仍是一副病懨懨的模樣，像失了水的蘿蔔條一樣打不起精神。她的意思是這個月季活不久了？我再怎麼澆水也起不了作用？頓時，我的腦袋裡浮現出那個找我要月季的乞丐的模樣，那個乞丐的話也在耳邊響起：「這個月季你不適合養……」

我乾嚥了一口，怯怯地問道：「為什麼不用澆了？難道月季要死了嗎？

可是，月季死了的話，妳該怎麼辦？跟著月季一起消失？」

她點點頭，道：「是的。月季快要死了。你再怎麼澆灌也沒有用了。我也確確實實要消失了。」說這話的時候，她低下頭去看自己的腳尖。她的腳上穿著一雙繡花鞋，鞋面上繡著一朵藍色的月季花。繡工極好，月季花活靈活現，似乎要從鞋面上長出來。

「哎，早知道這樣，我應該把月季送給那個乞丐的。他說得對，也許我真的不適合養這個月季。」那個乞丐的模樣再次在我眼前浮現。

「你說的那個乞丐，是不是那次在學校前面追趕你的那個？」剋孢鬼抬起頭來，眨著眼問道。她的黑眸彷彿是從夜空落下的兩顆星星。

「是啊！妳也知道？」我有些驚奇，原來她也注意到了那個乞丐。

剋孢鬼皺了一下眉頭，道：「我當然知道那個乞丐。我沒有被你爺爺制伏之前，有一次差點就被他捉了去呢！」

「被他捉去？」我更加驚訝了，難道那個乞丐也是個會捉鬼的方術之士？

隨即，我將這個疑問說給剋孢鬼聽了。

「嗯。我原來的好幾個同伴就是被他捉去了。」剋孢鬼回答道。

我心中釋然。難怪他找我要這個月季的，原來他早看出了月季上依附著一個性子非常惡的剋孢鬼呢！他說這個月季不適合我來養，也許就是擔心我被剋孢鬼害了吧！

剋孢鬼打斷我的思維道：「可是他捉鬼的目的跟你爺爺很不一樣。」

「為什麼？」我立即問道。

「他捉鬼是為了用鬼。」剋孢鬼道，「我幾個被他捉去的同伴就被他折磨得欲生不得，欲死不能。鬼被他折磨怕了，就都很聽他的話，他叫它們去害誰，它們就去害誰。」

「他捉鬼、養鬼就是為了害人？」我倒吸一口冷氣。

「當然。他白天去乞討，如果哪個人施捨的東西太少了，或者哪戶人家對他的態度不好，他就唆使被捉來的鬼晚上去騷擾那個人或者那家人。」剋孢鬼道，「被捉的鬼早領教了他折磨的手段，都怕他，只好乖乖地按照他的要求去做。」

聽了她的話，我想起爺爺曾經講過的一件事。一個窮渴鬼化成乞丐的模樣來找姥爹要三十座金山、銀山，最後被姥爹的一根稻草驅趕走了。那次會不會也是一個心懷怨恨的乞丐唆使的呢？

「哦。那月季死後妳要到哪裡去呢？」我將話題轉移到目前的疑問上來。外面的月亮緩慢地移動，月季的影子就如鐘錶的指標一樣繞走。

「我身上的邪氣被月季洗得差不多啦，所以就要轉世投胎了，去尋一戶好人家落下。」剋孢鬼的語氣變得輕快了一些。

「哦！那是值得慶賀的好事啊！妳應該高興才是。」我強顏歡笑道。

她長長地嘆了一口氣，來回踱了幾步，道：「是的。我應該感到高興才是。可是現在你爺爺狀態不太好，《百術驅》又不見了，篾箕鬼的問題還沒有解決，它還會來找你爺爺麻煩的……並且……你已經養了我這麼久了……」剋孢鬼的聲音有些哽咽。

我沉默了片刻，安慰她道：「妳的邪氣被月季洗淨了，可以擺脫符咒的禁錮了，這不是妳和我爺爺都希望達到的目的嗎？妳放心吧！如果爺爺知道了，他一定會為妳高興的。而我……我當然也會為之高興。」

《百術驅》裡面講述了剋孢鬼形成的原因。由於很多地方的封建思想作祟，重男輕女的現象很明顯。有的家庭不生出一個兒子就會被村裡的所有人看低，而做媳婦的在家裡也沒有地位，要受丈夫和婆婆的氣。於是有些狠心的爹娘見生下來的是女嬰，便丟進床下的尿盆裡溺死。有的溺死了七、八個女嬰才得一個兒子，而被溺死的女嬰就成了剋孢鬼。它拉走小孩子的靈魂是因為它的嫉妒。

於是，我開玩笑道：「這次妳可要看好了人家再投胎，別再去那些狠心男女的家庭了。」

她彷彿被針狠狠地刺了一下，臉上一陣扭曲痙攣，不過很快便恢復了原樣。看來她對前世的死因還銘記在心，不過與以前相比，她現在顯得坦然多了。「那樣也好，我就再做一次剋孢鬼，然後等著你和你爺爺去將我收回來繼續養。」她居然也學會了開玩笑。

不過，這時提到爺爺，我就沒有心思跟她開玩笑了。我憂慮地說道：「爺爺的身體狀況很差了，而奶奶又發生那樣的事情，唉……」

剋孢鬼見我不高興了，一隻手搭在我的肩膀上，寬慰道：「好人自有好報，你就放心吧！」令我意外的是，她的手不是冰涼的，帶著少有的一絲絲溫熱。

我苦笑道：「如果他還像以前那樣有求必應的話，恐怕身體會受不了的。他不是一個懂得拒絕人家的人。雖然這一段時間對人家的要求不答理，但是過一段時間後難保又不像以前一樣。」我一面說一面想到爺爺的皺紋像乾裂土地的模樣，不禁更加放心不下。我甚至想到不出兩年，爺爺被反噬作用和香菸榨乾身體，變得像煙絲一樣的情景。

剋孢鬼點點頭，學著我的樣子苦笑道：「是啊！以前我不知道他，把他當作像那個乞丐一樣的人，現在才知道讓他為難的不是鬼，而是那些前來求助的人。」

「那也不能這麼說。如果沒有那些害人的鬼，人家也不會被逼到走投無路了來求爺爺幫忙。」我反駁道。

「那倒也是。好了，不打擾你睡覺了。我要走了。」她擠出一個笑，朝我揮揮手，影子漸漸淡去。

我急忙喊住她，問道：「問妳一個事情，妳相信胎記是人前世留下的記憶嗎？」

她沒有回答我，卻自言自語道：「如果是這樣的話，我轉世投胎之後，會因為跟你和你爺爺的這段故事留下什麼痕跡呢？」

她的話還在我的耳邊縈繞，但是身影已經消失得無跡可尋了。就在剋孢鬼消失的時候，我眼睛的餘光瞥見窗臺上的月季瞬間枯萎、凋謝，藍色的花瓣短時間內變得枯皺，然後像撲火的飛蛾一般從枝頭落下。

我知道，這是我跟剋孢鬼的最後一次見面。她再也不會在我眼前出現了。當然了，即使她就投胎在離這裡不遠的人家，再次見面她也不會再記得我。

生和死，是不是一個道理呢？奶奶去世了，曾經那麼多美好的回憶都只能存在於我的腦子裡，奶奶再也不會出現了。好像有人這麼說過，一個人還活著的時候，他可以稱之為人；但是一個人死後，他只能稱之為事。死去的奶奶對我來說，只能是一件過去的往事了。月季枯萎了、凋謝了，她對我來說也成為一件過去的事。

我想了半天，參不透生與死，卻把心情弄得糟透了。果不其然，在爺爺的心情和身體稍稍恢復了一些之後，原來被拒絕的人們又紛紛找上門來，而來的次數最多的居然是月婆婆。

高中的補課越來越多，假期越來越短，也越來越少。可是我還是一有空就往爺爺家跑。往往是早上剛剛乘公車回家，中午就到了畫眉村。每一次從文天村與畫眉村之間的山路上下來，看見爺爺的老房子如一隻熟睡的老水牛臥在那裡，我的心裡便湧上一股激動。

我能陪爺爺的時間越來越少了，但是從媽媽的嘴裡，從爺爺周圍鄰居的嘴裡，我能得到所有與爺爺有關的消息，能從中知道我不在這裡的時候爺爺身邊發生了些什麼事情。由於周圍的鄰居或多或少都受過爺爺的幫助，當我問起的時候，他們也樂於向我講述。雖然他們也間或提醒我，爺爺的身體狀況大不如以前了，但是每當家裡的養畜走失，他們仍然會來找爺爺，請他指明走失的方向。

從他們的敘述裡，我得知月婆婆來的次數不下於二十次，但是每次都是帶著失望的表情出來的。畫眉村的很多大人和小孩都看見月婆婆愁容滿面地走在水田邊的田埂上，整個人如蒙著一層淺淺的灰。

不只是我，他們也非常詫異。相對於爺爺對待常人的有求必應來說，二十多次拒絕月婆婆的求助對爺爺這樣性格的人來說無異於是「冷血無情」。

「也許是月婆婆的人品不好吧！聽說她是個很摳門的人，一雙手只往自己家裡搬東西，從來捨不得借一針一線給人家的。」有人這樣猜想道。

「我們找馬師傅幫過多少忙，馬師傅可是連盒菸都不接的人，哪裡就貪圖了月婆婆一點禮品？沒有的事！」立刻有人反駁。

「那就是月婆婆要求的幫忙太難了吧？所謂天機不可洩露。有些事情說出來會對說話的人不好。聽說反噬作用害得馬師傅身體不好，再說一些不好說的，對馬師傅的傷害更大。」又有人這樣猜想。

「不是吧！我聽說月婆婆求的是她外孫的姻緣狀況，馬師傅給很多人都算過呢！不會因為這個有所顧慮的。」這個猜想自然又被人反駁了。

眾人胡亂猜測一番，最終沒有討論出任何結果。

我見爺爺漸漸從奶奶去世的陰影中走了出來，便心有戚戚地詢問了月婆婆的事情。爺爺總以「姻緣是上天註定的」為藉口搪塞。問的次數過多了，爺爺便說：「亮仔，你就讓爺爺歇一歇吧！我暫時不想碰那些東西。」

我知道，對於奶奶的突遭不幸，爺爺還懷有深深的自責。爺爺雖然漸漸從悲傷中走了出來，但是自責一直如影子般追隨著他。如果還要苦苦追問，對爺爺恐怕是有百害而無一利的。我便主動將話題轉移到輕鬆的方面，跟他聊些開心的事。

可是後來無論我怎麼努力，爺爺的興致也不會高昂起來。

雖然如此，對於爺爺拒絕月婆婆的原因，我一直很好奇。這個問題就如一顆豆芽長在了我的心臟裡，並且抽芽生長。學校的學業再繁忙，我也無法將它忘記。

一次偶然的機會，媽媽居然從爺爺口中得知了其中的緣由。那次，媽媽去爺爺家幫爺爺洗被子，剛好碰到月婆婆在門口抱怨。

28

「給別人家的兒女算姻緣您很少拒絕，即使有不好的事情，多跑兩次您也一定會鬆口。很多人都這麼說。可是我跑了這麼多次，您怎麼就一點變化也沒有呢？」月婆婆在門口搔首跺腳，好不焦躁，「您越是不說，我這心裡就越是不踏實，總覺得我外孫要出什麼大事，您才不肯跟我說。」

月婆婆的猜測不無道理。占卜的人預測到越嚴重的事情時越不願告訴被占卜者，在這塊地方，這是眾所周知的道理。

媽媽見一個陌生的老太太在門口嘀嘀咕咕，自然聯想到她肯定是周圍人都談到過的月婆婆。媽媽正想上前去跟月婆婆解釋一番，不料月婆婆見了媽媽，卻主動搭訕道：「妳別去找他了！他是個小氣得要命的人。別人都說他愛幫人，我看不是呢！」

原來月婆婆沒有認出面前的人正是馬師傅的女兒，卻把她當成了同樣是來求爺爺幫忙的人。

於是，媽媽故意將錯就錯，對月婆婆說道：「不像您說的那樣吧？我聽別人說他一般不拒絕人家的呀！是不是您的要求太高了？」

月婆婆拍著巴掌道：「我的要求高？我不要他算我還有多少陽壽，什麼時候見到牛頭馬面，也不要他幫我做水陸道場，我只是求他幫我算算外孫的姻緣。別人問這個多得很，怎麼偏偏我的忙就不肯幫呢？」

媽媽正要插幾句話，又被月婆婆打斷。她滔滔不絕道：「我不是糾纏不清的人。只是他越是不說，我心裡越是不踏實。前前後後來了二十多次了，他老人家就是不說。」

媽媽正準備說她去幫忙說說情，那個月婆婆甩了手就走，不再答理媽媽。

媽媽心想爺爺的身體還沒有完全康復，便乾脆打消了這個念頭，任由月婆婆一路牢騷地走向了狹窄的田埂。

跨進門，媽媽發現爺爺正低著頭坐在火灶邊上吸菸。屋裡的煙很濃，爺爺根本沒有用心燒火，柴堆在一起燃燒不充分。

媽媽說，她一眼就看出了爺爺拒絕人家之後內疚的心情。

媽媽被煙嗆得咳嗽了兩聲。爺爺這才發現媽媽來了，連忙將手中的菸扔到火灶裡，起身叫媽媽坐在旁邊。

媽媽一坐下便詢問爺爺為什麼拒絕月婆婆。

爺爺的話讓媽媽大吃一驚：「月婆婆的外孫是個殺人犯。」

媽媽的腦袋裡「嗡」的一聲，差點從椅子上跌下來。「什麼？她外孫是個殺人犯？你是怎麼知道的？」

「第一次要我給她外孫算姻緣的時候，她就告訴了我她外孫的姓氏和生辰八字。」爺爺拾起一根枯柴，在散發濃煙的柴堆裡撥弄了兩下，火苗「撲撲」地升了起來。爺爺和媽媽的臉立即被火焰映得通紅。

「你就憑姓氏和生辰八字算出她外孫是殺人犯？這個也能算到？」在姥爹和爺爺的耳濡目染之下，媽媽對掐算還是有一定的瞭解的，她雖然猜想爺爺是透過這個方法得知月婆婆的外孫是殺人犯，但是她對這個結論不是那麼相信。

「當然不是！」爺爺擺手道，「我沒亮仔他姥爹那麼厲害，就算能算到她外孫有劫難，也絕對算不到是殺人放火。」爺爺在媽媽面前提到姥爹時，很多時候都說「亮仔他姥爹」。

「我也想這東西是算不了這麼準確的。」媽媽道，「可是你怎麼知道她外孫是殺人犯呢？我聽別人說，你還算到了她外孫的大腿上有一塊紅色的胎記？」

「別人告訴我的。」爺爺簡短地回答道。

媽媽瞪大了眼睛看著爺爺，希望他後面還有話要說，但是爺爺噤住了嘴。

媽媽似有所悟，問道：「是不是那個告訴你的人有更厲害的掐算方法？不對，就算有人告訴你，但是那個人怎麼會告訴你這些？難道他還算到了月婆婆會找你給她外孫算姻緣？他有這麼神奇的掐算方法？」

爺爺搖頭道：「不是的。告訴我的那個人很普通很平凡，她沒有事先猜到月婆婆會找我，更不懂什麼掐算之術。」

媽媽沒有因為爺爺的解釋而理清思路，反而因為這番話弄得一頭霧水。「那個人很普通？我怎麼越聽越糊塗了？到底是怎麼一回事？」

「說起來很複雜。要想清楚地知道其中的緣由，還得從一個夢說起。」

「夢？」媽媽眨了眨眼睛，靜靜地聽爺爺回憶三年前的一件怪事。

爺爺的眼睛看著跳躍的火焰，陷入了久遠的回憶中。

那是三年前的一個冬天，爺爺也是這樣坐在一堆火前面，通紅的火光映著爺爺的臉，暖得有些發癢。

爺爺一個人在火邊坐著坐著便開始犯睏了，眼皮重得很。為了提一提精神，爺爺決定點根菸。

爺爺的手剛剛伸進菸盒，門外便有人在喊了：「岳雲哥在家嗎？」

爺爺聽見叫聲就知道門外的人是誰了。那是小時候玩得很好、後來嫁到遠地的馬老太太。我只見過那個馬老太太一次，精瘦、有些駝背。雖然一眼就可以看出她跟爺爺是同一輩的人，但我看不出來她跟爺爺誰的年紀稍大一些。小時候的爺爺經常和她一起去老河捉魚捉蝦。我跟馬老太太的唯一一次見面，爺爺便要我叫她為「姑奶」，可見爺爺和她情同兄妹或者姐弟。

「在家呢！快進來吧！」爺爺笑呵呵地回應道。

馬老太太在門口跺了跺腳，將衣領上的雪花抖掉，然後走了進來。爺爺聽到了兩個人的腳步聲。

迎出門來，爺爺看見馬老太太的背後還跟著一個年輕女子。那個女子長得清秀，頭髮黑得發亮，但是臉色蒼白，一副睡眠不足缺少精神的樣子。她偷偷覷了爺爺一眼，然後飛快地收回了眼神，彷彿做了什麼虧心事怕人看、怕人說一般。

29

「這是我外孫女。」馬老太太介紹道，「姓姚，叫姚小娟。」

爺爺說，事情就是這麼巧。那個叫姚小娟的女孩也就是馬老太太的外孫女。至於巧在哪裡，後面再說。

姚小娟乖巧地叫了一聲：「馬爺爺！」

爺爺連忙邀請她們兩人進屋烤火。爺爺和馬老太太免不了要說些童年的事情，又感嘆一番時光過得真快，轉眼自己的孫輩長得都比自己高了。在爺爺和馬老太太聊天的時候，姚小娟一心一意地撥弄著火灶裡的火苗，讓枯枝柴棒一直保持著燃燒。

馬老太太突然話鋒一轉，對爺爺道：「我這次來，是要請您幫個忙。」說這話時，馬老太太對旁邊的姚小娟使了個眼色。姚小娟心領神會，放下撥弄火苗的棍子，端端正正地坐好，認真得彷彿是被老師點到名字的小學生。

爺爺笑道：「您的忙我當然要幫了。不用這麼謹慎，您就直說吧！」其實爺爺見馬老太太帶著這個女子出現時，他就已經猜到了七八分。他從姚小娟清秀的臉上隱約看到了幾分憂鬱之色。再說了，馬老太太以前從不見帶人來這裡拜訪，今天突然帶了外孫女，自然不是帶來認識爺爺這麼簡單。

「我們都是熟人了，那我說話就不繞彎子了。我這外孫女遇到了麻煩事。」馬老太太瞥了一眼姚小娟，姚小娟立即點點頭，「這麻煩事說來奇怪……當然了，如果不奇怪的話，也就不會來麻煩您了。」

「什麼麻煩事？又怎麼奇怪了？」爺爺問道。

「自從她滿了十二歲以後，每年的固定一個日期都會做一個同樣的夢。並且這個夢也很奇怪。」馬老太太又朝姚小娟看了看，姚小娟立即朝爺爺點點頭，表示她外婆說的話沒有錯。

「滿十二歲以後？」爺爺皺眉問道。

馬老太太看了看姚小娟，姚小娟點頭，她也點頭。

「那麼，」爺爺摸了摸下巴，轉過頭去看姚小娟，「妳都夢到了什麼奇怪的事情呢？」

姚小娟回答道：「我夢到殺人了！」說完，她打了一個冷顫。很顯然，這個夢非常恐怖，讓坐在火堆旁邊的她都忍不住心寒。

「殺人？是妳殺人嗎？」爺爺問道，「妳不要怕，再怎麼恐怖，那也只是在夢裡發生的事情，現在什麼事也沒有。」

「嗯。不是我殺人。是我看見別人殺了人。」姚小娟答道。

爺爺想了一想，道：「那麼，妳跟我形容一下夢裡面的情景，越詳細越好，可以嗎？」爺爺擔心姚小娟害怕回憶夢裡的情景，故意將聲音壓得很低，聽起來跟火灶裡的火苗一樣有溫度，能舒緩緊張的神經。

姚小娟乾嚥了一口，又做了一個深呼吸，這才說道：「我夢見自己躺在一個很大很大的床上，身上蓋著很大很大的綢緞被子，被子上繡著兩隻戲水的鴛鴦。不過我可以確定，這不是新婚用的被子，因為被子的邊口有磨損的痕跡，還有一股男人的氣味。我感覺渾身懶洋洋的，好像剛剛經過了一場劇烈的運動。我抬起頭來，看見床邊居然站著一個男人，雖然我不認識這個男人，但是他轉過臉來看我的時候，我居然有幾分似曾相識的感覺。」

「似曾相識？」爺爺問道。

「是的，似曾相識。腦袋裡有這個人的影子，但是這個影子模模糊糊。他赤著上身，兩手放在腰間。我不確定他是在解腰帶還是在繫腰帶。因為我剛看見他，門外便闖進一個老頭。那個老頭也給我一種似曾相識的感覺。」姚小娟蹙眉道。

火光在三個人的臉上跳躍。

「老頭手裡拿著一根枴杖，穿的衣服是清朝末年大地主那種，手指上還戴著一個鑲著寶石的戒指，好像是有身分的人。而在我床邊穿褲子的那個男人應該是個身分低微的人，他穿的是大腳褲，腰帶是一條簡單的布條。我正這麼想呢！那個老頭就舉著枴杖朝那個男人打過來。那個男人眼明手快，急忙朝後退了幾步，老頭沒有打著，自己倒一個趔趄，幾乎倒地。我心裡就納悶了，他們為什麼要打架？」

姚小娟舔了舔嘴唇，又道：「這時我還沒有起來的意思，偷偷關注了這屋裡的擺設。床的對面有個梳粧檯，鏡子模模糊糊印著梳粧檯上的瓶瓶罐罐。我猜想瓶瓶罐罐裡裝的都是化妝品。梳粧檯的鏡子是按照仙桃的模樣做的，上面的刻紋都非常精細。梳妝鏡的旁邊有一個小爐子，爐子上面擱著一個正在突突地冒熱氣的水壺。水開了。」

「我正看著那水壺呢！那個老頭順手拎起了水壺，朝那個男人甩了過去。我嚇了一跳，這開水潑在人的身上，還不將人脫了一層皮？」姚小娟的臉上顯出慌張來，彷彿此時她眼前也有這樣一壺開水即將潑在誰的身上。

「我急忙掀開被子要起來阻攔，這才發現自己身上光溜溜的，什麼都沒有穿。我急忙將掀開的被子掩上，心想睡前的衣服都到哪裡去了。緊接著聽見『刺啦』一聲，開水潑在了那個男人的身上。男人痛得哇哇大叫。而那個老頭則得意洋洋地笑了。老頭罵道，『我家的紅杏就算趴在牆頭了，也沒有你來採摘的份！』我心中更是迷惑，這個老頭說的什麼話呢？」

「我看見那個男人的褲襠處和大腿處濕了一片，虛白的蒸氣正從濕的地方升起來。我心想，完了完了，這個男人恐怕以後都沒有用了。那個男人齜牙咧嘴，卻還抽空朝我這邊看了兩眼。我急忙抱緊被子，生怕他知道我身上什麼也沒有穿。可是他好像已經知道了似的，朝我露出一個淫邪的笑。他一那樣看我，我心裡就發虛，好像我跟他做過什麼見不得人的事。」

30

「我再往下看，他的兩條腿像篩糠似的抖。很快，他的全身都跟著抖了起來。他突然如一頭發了狂的豹子，猛地朝老頭撲過去。老頭見他撲來，得意的神情頓時消失了，轉身就要往外走。那個男子情急之下，拾起老頭扔下的枴杖，朝老頭揮打過去。」姚小娟繪聲繪色，還模仿出夢中的男人揮打枴杖的姿勢。

馬老太太嘴角一陣抽搐。後來聽姚小娟說，馬老太太不只聽她講過一次了，但是每次聽到這裡，馬老太太都要嘴角抽搐，彷彿那枴杖打在她身上。

「我只聽得『嘣咚』一聲，如聽見廟裡的和尚敲打木魚一般，然後被枴杖打中的老頭就如被門檻絆倒一般栽倒了。」

「那個男人驚叫一聲，似乎不相信自己居然敢出手傷人，兩眼瞪得圓溜溜，雙手捧住了臉。這時，他又朝我看了兩眼，不過這次沒有邪惡的笑，而是表情驚恐到扭曲的程度。我連忙抱住被子站起來看，只見那個可憐的老頭躺在門檻上，腦袋如摔破了瓢的南瓜，血順著門檻流到地上，我頓時一陣噁心，幾乎將內臟吐出來。」

「我驚叫道：『你殺人了！你殺人了！你居然殺了他！』我心裡害怕得很，退回到床上哭泣。雖然如此，但是我心裡還有一點點快意，好像恨不得那個老頭早點死。」姚小娟道。

「恨不得他早點死？為什麼？」爺爺打斷她，詢問道。

姚小娟搖了搖頭：「我也不知道為什麼，當時就是這麼感覺的，好像心裡的抑鬱之氣得到了釋放。我解釋不清楚。」

「然後呢？」爺爺問道。

「然後我就醒來了。」姚小娟回答道。

「哦！」爺爺對這樣的回答顯得比較失望。他凝住眉頭，拾起一根燒得漆黑的木棍在火堆裡扒拉。火焰並沒有因為他的動作而變得更旺一些。

「您在想什麼？是不是覺得我在說謊？」姚小娟小心翼翼地問道，「我自己也覺得不可思議。夢裡的人都是似曾相識的感覺，好像以前見過。但是要我細細想來吧！我卻從來沒有見過這些人。並且夢裡的情景也是我平時想都不敢想的。我怎麼會光溜溜地躺在被子裡呢？我從來沒有裸睡的習慣，更不會在有一個陌生男人在旁邊的情況下連一塊遮掩的布都不穿。」

馬老太太插言道：「畢竟是夢嘛！哪裡有那麼多的邏輯可言？好了，妳講完了就停下，看馬爺爺怎麼解釋。」然後，她們倆的眼睛就直盯著撥弄火堆的爺爺了。

爺爺放下手中的燒火棍，深深地吸了一口氣，問道：「妳確定是每年的固定時候做同樣的夢？都是這個夢？沒有一點變化嗎？」

「要是我外孫女只是做了一次這樣的夢，奇怪倒是奇怪，但是我也不至於把她帶過來問您哪！」馬老太太斜睨了眼回答道。

說得也是。如果只是一次奇怪的夢，頂多醒來想想就過去了，用不著這麼認真地把作夢的人帶到爺爺面前來。再說了，在很多情況下，一次奇怪的夢根本說明不了什麼。日有所思夜有所夢嘛！沒必要太認真。倘若一個人在一個固定的日期做著一個一模一樣的夢，那就不一般了。

爺爺看了看姚小娟。姚小娟用力地點了點頭，表示她外婆說得一點也沒有錯。

「其實外婆說我在每年的一個固定日期都會做一個同樣的夢，這不是很準確。」姚小娟一語驚人。

「怎麼不準確？妳還在其他時候做這樣的夢？」爺爺問道。

「我還在其他時候做另外一個夢。雖然另外一個夢沒有這個夢這麼準時，但是也時常出現。」姚小娟道。

「也像這個夢一樣重複出現嗎？」爺爺問道。

「對的。」

「說來聽聽。」爺爺將手一揮。

「這個夢沒有先前那個恐怖。夢裡是這樣的。」姚小娟又開始回憶了，「我夢見自己站在一個門口。外面的陽光很強烈，曬得我幾乎睜不開眼。對面吹來一陣陣帶著燥熱的風，風透過我的衣服，將我渾身弄得癢癢的。我的衣服鼓動，彷彿一條小蛇在肌膚上游走，癢癢的同時有幾分愜意。」

「妳是站在前面那個夢裡房間的門口嗎？」爺爺打斷她，詢問道。既然姚小娟說了前面那個夢，聽者將兩者聯繫在一起是再自然不過的事情了。

「嗯……」姚小娟側頭思索了片刻，「應該是吧！我依靠在門檻上，從頭到尾沒有回頭看看屋裡的情景，後面雖然又回到了屋子裡，但是這個夢是斷斷續續的，所以我也不是很確定。但是照道理和我的感覺來說，那個門口應該就是前面那個夢裡的房間。」

「好，妳接著說。」爺爺點頭道。

「這時候陽光漸漸弱了，可能是天上的一片雲擋住了太陽吧！我也沒有來得及抬頭去看，就發現面前的院子裡多了一個人。那個人的手裡拿著一個大圓盤，是銅的。圓盤上面寫著子丑寅卯辰巳午未申酉戌亥，還有甲乙丙丁戊己庚辛壬癸。我比較好奇，就問那個人他手裡拿的是什麼東西。」

「那是羅盤吧！」爺爺道。

「對。那個人恭恭敬敬地回答我說，他拿的是羅盤。他好像對我很敬重，或者說有點怕我。」姚小娟撇了撇嘴道，「我本來問完就想回屋裡休息的，因為我感覺被太陽曬得渾身懶洋洋的。但是見他這麼謙遜，便產生了幾分好感，我又問他，這羅盤是做什麼用的。」

「那個人回答說，老爺叫他來看風水、尋寶地，羅盤就是定向用的。我這才注意他的長相，他長得像個文弱書生，頗有風度。臉瘦瘦的，好像營養不良，但是很白很乾淨。他的手指很纖細，一看就知道不是幹粗活的人。在夢裡的時候，我感覺跟他是見第一次面。但是醒來之後，我才記起原來他是前面那個夢裡的人。」

31

「那個殺人的男人？」爺爺問道。

「嗯！」姚小娟回答道，「可是在夢裡的時候我不記得曾夢到過他。很陌生的感覺……但是殺人的那個夢裡感覺已經有些熟悉他了。」

「夢裡就跟他說了兩句話嗎？」

「不是的。接下來，我的夢跳到了另一個情景。中間好像缺少過程，可是夢裡是沒有邏輯的。您能理解我說『跳到另一個情景』的意思吧？」姚小娟朝爺爺投了一眼。

「這個我知道，夢不連貫是常有的事。」爺爺點頭道。

「我對那個男子說，既然你是懂得方術的人，那就算算我的姻緣吧！說這話的時候，我發現自己躺在一個雕刻極為精細的木床上，屋裡的擺設跟前面那個夢差不多，但是這個夢裡的東西要比那個夢裡新一些。」

「也許這個夢裡發生事情的時間比那個夢裡的要早。」爺爺道。

「嗯！我也這麼覺得。這個夢裡的擺設跟剛剛結婚不久的新房差不多。那個男子就坐在我的床邊，一隻手捏住我的手腕，眼睛瞇成一條線。我知道他在給我把脈。他聽見了我的話，將眼睛睜開，笑道，少奶奶，妳已經是老爺的四姨太了，怎麼還要算姻緣呢？小心隔牆有耳哦！他好像很關心我。」

「我好像生著病呢！渾身瘦脹，耳邊嗡嗡響。我說，我才二十多歲，那個老頭的半截身子都已經進了黃土了，我能不為自己的將來著想嗎？」

「他聽我這麼一說，放在我手腕上的手指猛地一抖。我笑話他道，我還以為你是多厲害的人物呢！沒想到也這麼容易受驚。他頓時顯得更為尷尬，呆在那裡半天不說話。」

「我又說道，你不是說信則有、不信則無嗎？我也是問著玩玩罷了。你給我算著玩玩吧！我悶得慌呢！接著，我不管他聽不聽，就將我的生辰八字說給他聽了。」

「他立即回答我道，少奶奶，您的八字好著呢！命主富貴，只要您安心養好這病，將來的好日子長著呢！我知道他這是在敷衍我。我有些不高興了，將頭側向床內，嘆氣道，你是騙我玩呢！再說了，就算富貴又有什麼用呢？那老東西趴在我身上時像隻病狗一樣直喘氣，我還擔心他隨時斷氣死過去呢！」

「妳在夢裡就是那個老頭子的小妾吧？」其實不用問也能明白了。

「嗯！應該是的。」姚小娟道，「我怎麼會做這樣的夢呢？難道我前世是給人做小妾的？」

一旁的馬老太太敦促道：「妳先將夢講完再說其他的。」

姚小娟接著講道：「那個男子勸慰說，少奶奶不要憂心，有好多鮮花一樣的女人想躺到老頭子的身邊來還不夠資格呢！雖然老頭子已經接近油盡燈枯，但是他那色性從來沒有改過。要不老頭子的身體也不會像抽乾了水的水母一樣軟趴趴了。我聽見他將老爺說成了老頭子，心裡不禁一陣高興。於是，我帶些挑逗意味地看了那個男子兩眼，柔聲道，你說老爺是軟趴趴的水母，那不知道你自己又能用什麼打比方呢？」

「他極其害怕地瞥了我一眼，像個小姑娘一樣搓著手，嘴裡嗞嗞地吸氣。他擠出一個難看的笑，說道，少奶奶說笑呢！我哪裡能跟老爺比呢？老爺那是福大的人，坐吃千頃良田。我是命薄的人，行走萬里苦路。」

「我有意為難他，說道，你知道我指的不是這個。」

「那個男子的表情有些扭曲，彷彿是肚子痛一樣。但是我能看出來，他並沒有生氣。他調整了一下坐姿，盡量平靜地說，少奶奶，老爺可是一隻老虎，雖然現在老了，但是餘威還是在的。然後他乾嚥了一口，哼哼兩聲，又道，老爺的眼睛還明亮著，耳朵清楚著。少奶奶不怕他，小的可不敢對老爺有任何不敬。」

「我反駁他道，是的，老爺的眼睛沒瞎，耳朵也沒聾，但是他對女人已經不行了。」此時，姚小娟有些不自在地看了看火灶裡的火苗。

「然後我對那個男子說，你把耳朵附過來，我有話要跟你講。我朝他揮揮手，可是他畏手畏腳的，用懷疑的目光看我。末了，他怯怯地問我，少奶奶，什麼事不能這樣坐著講呢？非得我附到妳面前去不成？說完，他急忙朝門和窗那邊瞟了一眼，心虛得要命。我知道他這是有賊心沒賊膽。其實他用不著擔心，因為這屋裡的門和窗都關著，光線比較暗。」

「也許是他的第六感很強。果然，此時外面有人咳嗽了兩聲。那個男子急忙從床邊站起來，垂頭低眉站在帳邊一動也不動。不知道為什麼，在這個夢裡除了這個男人我沒有見到別人，但是聽了那兩聲咳嗽，我立即打了一個寒顫。一股寒意鑽進了我的被子裡，在我全身的神經上游走。」

「外面咳嗽的人腳步越來越清晰，應該是正朝這邊的門口走來。外面那個人的每一步都彷彿踏在我的心臟上，讓我的心臟不敢跳得太厲害。當那個腳步走到了門口的時候，那個男子突然大聲對外面喊道，老爺，這門不能打開。我剛剛給少奶奶服了小茴香，一時半會兒見不了太陽的。」

「外面的腳步聲就停在了門口。我和那個男子連呼吸都不敢太用力。我悄悄看了看那個男子，他的鼻尖都沁出了汗。」

「外面的人停留了一會兒，腳步又響起來，漸漸遠去。那個男子長長吁了一口氣，虛脫了一般對我說，少奶奶，老爺走了。」

「我很奇怪他剛才說的話，便問道，你說我見不得陽光？」

「他惶惶恐恐地說，少奶奶，老爺叫我來是給妳看病的，老爺說妳痛經的時間很久，要我給妳把把脈，開點藥方。小茴香能散寒止痛，但是吃過之後不能曬太陽。那樣很可能過敏。

「我說，可是你還沒有給我開藥啊！」

「他說，少奶奶，我是害怕老爺進來才這麼說的。」

32

「害怕老爺？你害怕老爺什麼呢？我這樣問了他。他又露出窘迫的神情。」

後來爺爺對媽媽說，聽姚小娟講到這裡，爺爺已經差不多知道了後面的事情。因為在姚小娟給爺爺講述她的夢時，爺爺已經偷偷注意了她的相貌和掌紋。

爺爺說，姚小娟的掌紋為花柳紋，在手相上對花柳紋有這樣的解釋：「花柳紋生自不憂，平生多是愛風流。綺羅群裡貪歡樂，紅日三竿才舉頭。」這個意思是說：掌中生有花柳紋的人，生來是一個風流情種，喜歡在紅粉堆裡追逐，尋歡作樂，貪圖色慾，毫不悔改。

後來我又問過爺爺什麼紋是花柳紋。爺爺說，手上的三條主線基本平行，加上食指與中指下也有一條線與三條主線平行，那麼就形成了花柳紋。這花柳紋生在男人身上，如果男人富貴，那麼一定風流倜儻；如果男人貧窮，那麼一定常在花街柳巷行走。這花柳紋生在女人身上，如果女人富貴，那麼一定會做出紅杏出牆的事；如果女人貧窮，那麼一定會淪落為妓女。

照這麼來說，夢裡的姚小娟一定是命主富貴的人了。姚小娟在夢裡糊裡糊塗，但是醒來過就知道，夢裡的她是個年紀輕輕卻嫁給一個有錢老頭的小妾。

媽媽也這樣問了爺爺。爺爺卻搖了搖頭，說，她雖然是富貴的命，但是我看見她的面相不太好，堂舍部位水土失去控制，雜合在一起。面相上說：「堂舍水土交錯，任意招賢。為水木青黑之色，堂舍交錯於淚堂，精舍之部必淫。」這就是說這個女人生性好淫，人人都可以和她交合。因為水是青色，木是黑色，青色和黑色雜合就會出淫亂。

而她的日角、月角高高突出，這樣的面相會因太陽照命而剋死丈夫。爺爺解釋說，日角、月角是指臉部相位，與天庭大略平行的地方，左邊為日角，右邊為月角。對男人來說，日角、月角突出比較好，可是則女人相反。

另外，爺爺還注意到她的眉目的頂端一直指向印堂、司空，這樣面相的女人一定會害死她的丈夫和丈夫的小妾。但是，這樣的女人自己也一定會出事，而大多都是上吊自殺。

爺爺講到了這些，自然又要不由自主地講更多。

爺爺說，世間萬物皆分陰陽，男人為陽氣所化，女人為陰液所聚，所以看相也有男女之別。根據相學中上為陽、下為陰的原則，若以全身劃分，頭為陽、足為陰；若以頭面劃分，上額為陽、下頷為陰。因此看男人之相重點在他的頭、額，看女人之相關鍵在她的足、頷。然而世間萬物既有陽之分，但「獨陰不生、獨陽不長」，所以看女人之相除了重在看陰，也要陰陽兼顧，而觀察女人陰陽相兼的最佳部位，就是她們的腰和臀，因為女性纖細柔軟的腰，是陰性符號最好的象徵；女人豐滿翹起的臀，是陽性圖騰的典型代表。

看相時，常會以「天庭飽滿、地閣方圓」來形容一個人的面相如何之好，這其中的「天庭」指的就是上額，而「地閣」指的就是下頜。因「天庭」屬陽代表男性，「地閣」屬陰代表女性，所以看一個女人的運程究竟是好是壞，從其「地閣」的優劣就能獲知一二。

由於女人體內陰氣較重、形體天生圓潤柔和，因此最好的下頜之相，應當是方圓飽滿、敦厚富實，凡是擁有此種面相的女人，一般都性情寧靜、生活安逸、晚年運勢亦佳，能夠頤養納福。雖說女人擁有一張瓜子臉能為其增色不少，但下頜若是過尖，則陰氣不足、後運欠佳，婚姻感情和晚年生活較差；如果生得一副尖嘴猴腮之相，則更非女人中的善良之輩。此外，一個女人如果腮骨特別發達，多喜歡從自己的個人利益出發，難以與男方的家人，尤其是公婆處理好關係；而腮骨過於削瘦的女人，消極悲觀、缺乏魄力，對先生的事業少有幫助，古人稱這種人缺少幫夫運，所以這兩者都不屬於好的女人之相。

在下嘴唇的下方有一凹陷處，為「承漿」穴。女人的「承漿」穴要凹入下陷，且能容下一指，方為良相。因為「承漿」凹陷可承接口中流出的津液玉漿，證明該女子體內陰氣充盈，生殖、內分泌機能健康，若在古代她們必是兒女成群、多子多福，享盡天倫之樂，相反下巴尖薄短小、「承漿」平坦者，則多數缺子少女、晚年孤苦。

要說看相，它自古以來就非相士們單獨所為，其實現實生活中每個人都在看相，只是看相水準有高低深淺之別而已。就以觀察女人之相為例，不僅男人愛看，連女人也愛看，昔日新媳婦進門後，婆婆常常會有意無意地瞧瞧她的腰和臀，以判斷媳婦的生育能力如何，因為在農業社會中人丁是否興旺，直接關係到家族的生存發展壯大。所以這時看一個女人腰臀的肥細，並非是單純的美感好惡問題。

因此，在中國古代，相士和普通人都認為，女性的臀越大、翹得越高，性慾和生殖能力就越強；女人的腰越細、越柔軟，就越是嫵媚、風騷、多情。因而即便在以胖為美的唐朝年間，女人仍然不忘服用桃花細腰身。

說到這裡，做為聽眾的我不得不附加幾句。現代人一面在拼命追求所謂的「骨感美」，可是另一方面，「性感美人」、「電臀美人」，依舊是男人夢中的情人、女人仿效的榜樣。由此可見，人類雖然經過長期進化發展，但它絲毫不能抹去人在潛意識中的動物本性。最近美國哈佛大學的科學家經過研究發現：肥臀、細腰型的女性比一般的女性生育力要強，性激素水準要高，尤其是在排卵期時。有人估計，在任何情況下，這類女性受孕的可能性都要比其他體型的女性高三倍左右，這說明古人透過觀察女人的腰、臀之相，來判斷她們的性和生殖能力的說法，並非無稽之談，而是有著一定科學道理的。

爺爺還說，如果有一個男人跳過頭面、細腰、肥臀，直接盯著女人的腳看，那他一定是個看女人相的高手，一個比女人還懂得女人的專家。

33

因為在相學理論中，女人屬陰，腳為陰，自然女人的腳就是陰中之陰，要瞭解和研究一個被定位於陰性動物的女人，你說還有什麼比看她們的腳更合適的嗎？

從女人腳的形狀中，能看出她體內陰氣的強弱、性情的剛柔、脾氣的大小。在古代，女人腳美的標準是「小、瘦、尖、彎」，所以後來產生了裹小腳的陋習。而在相學家眼中最好的女人腳之相，首先應當小巧玲瓏，因為小代表著一種陰柔的美，而大則象徵著一種陽剛的美。但是世界上沒有幾個男人會愛上一個粗大強壯的女人，而是希望擁有一個小巧精緻的女人。同樣，女人的瘦腳，會讓人產生弱不禁風、需要呵護、急需扶持的感覺；而尖和彎更是自然界中典型的陰性曲線。

相反，腳骨形過大的女人，常常是陽氣有餘、陰氣不足，感情不細膩、不溫和、行為粗魯俗氣；腳肌肉脂肪過多的女人，則往往陰氣較重，有心機、愛挑剔、自以為是；腳皮膚青筋突出的女人，多數肝陽亢進、脾氣急躁、敏感易怒、情緒化；小腿汗毛旺盛的女人，征服慾和控制慾非常強，就是被人戲稱為「男人婆」的那種。

而姚小娟恰好小腿上的汗毛比較旺盛。當然了，爺爺不可能看見她小腿上的汗毛，是姚小娟後面繼續說夢的時候無意間講出來的。

姚小娟說：「夢裡的男人窘迫了一會兒，細聲細氣問道，少奶奶，那妳又為什麼害怕老爺進來呢？」

「不知道出於什麼心理，我突然有意要逗弄他。也許是我之前說的話讓他膽子大了起來，而我覺得自己處於下風了。於是，我曖昧地回答道，你可知道嗎？被子裡的我可是什麼都沒有穿。如果老爺進來後發現了，你說說他會不會殺了你？」

「我的話很有作用。那個男人頓時嚇得哆哆嗦嗦，雙腿一軟，就在我的床邊跪了下來，哭著求饒道，少奶奶，對不起，對不起，小的不應該癡心妄想，小的有罪，小的該死，要怪只怪少奶奶長得貌美如花、沉魚落雁。不對，不對，要怪只怪我癩蛤蟆想吃天鵝肉。小的不知天高地厚。」姚小娟在說起夢中的這一段時，眉毛舒展，臉帶微笑，似乎此刻真有一個癡心妄想的男人跪在她面前求饒，而她非常享受這種高高在上的感覺一樣。

「其實我是嚇他的。我並沒有裸著身子，但是故意捂著被子不讓他知道。見他嚇得像隻喪家犬一樣，我樂呵呵地笑了，對他說道，為什麼癩蛤蟆就不能想吃天鵝肉呢？你連這點志向都沒有，我真是看走了眼！」

「他愣得一下抬起頭來，看了我半天，好像剛剛認識我一樣。我被他這樣的表情嚇住了，呆呆的不敢說一句話。我心裡在想，我是不是玩笑開得太過分了，他會不會氣得衝過來掐死我？」

「果然，他騰地一下從地上站起來，怒氣沖沖地衝到我的身邊，將兩隻鉗子一樣有力的手放在我的脖子上！我嚇得要尖叫，卻被他靈活地用手給捂住了嘴巴。接下來，他的手並沒有停留在我的嘴巴上，而是順著我的下巴溜到了脖子，然後到了胸脯，然後繼續往下走……」姚小娟乾嚥了一口，不管聽者如何反應，她自己卻身臨其境。

「然後，他給我一個邪惡的笑，說道，少奶奶，妳知道最好的風水地是什麼樣的嗎？」

「我感覺到他的手指不安分了，但奇怪的是我沒有任何拒絕的意思，甚至覺得有幾分迎合的意味。我一邊扭動不安分的身體，一邊回答道，你拿的那個羅盤不是用來看風水的嗎？怎麼倒問起我來了？」

「他如同一個不識路的盲人一般，一邊繼續在我的身上繼續摸索，一邊有些激動地說道，女人……女人……」

「我笑得身上的被子都跟著顫動，問道，你真會看風水嗎？女人怎麼跟風水地扯上關係了？」

「他幾乎是哽咽著對我說的。他說，我的話還沒有說完呢！我的意思是，最好的風水地就要像女人的那個……那個部位一樣。我給老爺找的墓地，就是地形像這樣的。這樣的地形在風水上就叫做『美穴地』。那是上等好的風水地，如果誰的墳墓做在那裡，將來的子子孫孫必定永享安康，大富大貴！」

「末了，他呸了一口，罵道，那個老色鬼，活著的時候摧壞了多少嬌嫩的花，死了還要睡在花蕊裡！他一邊罵一邊在我身上摸索。他又說，少奶奶，我算過了，其實妳的八字跟我這樣的人才算是配的。」「然後他說出了自己的生辰八字，又說他姓栗。」

「他姓栗？」爺爺問道。要知道，這時候的爺爺還沒有經歷李樹村的那些事情，他這樣問姚小娟，完全是因為對姚小娟夢裡的男人不瞭解，不知道那個男人為什麼說他的姓氏跟夢裡的姚小娟相配。

「嗯！?」姚小娟點頭道，「他說他的姓拆開來就是『西』和『木』，而少奶奶的姓拆開來就是『北』和『女』。俗話說女人是水做的，那麼妳就是

『北』和『水』了。」

「我不知道他說些什麼，瞪大了眼睛問道，你說的什麼亂七八糟的東西？我一句也聽不懂。」

「他嘿嘿一笑，說，少奶奶妳想想，我是西，妳就是北；我是木，妳就是水。哈哈，多麼的般配！妳是水，妳就是來滋潤我這根枯木的，對不對？說完，他哈哈大笑，那隻不安分的手掌越來越用力，弄得我那個部位發痛。」

「我有些生氣，罵他道，我還以為你是多麼正經的風水先生呢！沒想到腦袋裡裝的盡是這些淫穢的勾當。」

「他涎著臉笑道，少奶奶，我剛見您的時候還怕得不到呢！沒想到……」

34

「沒想到什麼？我蹙起眉頭問道。」

「沒想到妳的水這麼多哇。他哈哈大笑。然後他猛力地撕扯我的衣服，將我像個粽子一般層層剝開來。他兩眼發直地盯著我的肌膚，邪笑道，少奶奶，妳還真像個粽子，妳的皮膚比晶瑩的糯米粒還要誘人，我聞到了粽子餡的香味。說完，他的口水就流了下來。我心想道，難怪我會喜歡上他的，原來我們之間是這樣的心有靈犀。」

「妳說妳喜歡他？」爺爺問道。

姚小娟面帶微笑，她並沒有因為「偷情」而羞愧，反而有幾分得意、幾分陶醉。看來爺爺說她的掌紋中有花柳紋沒有錯。她點點頭，嘴角彎出一抹幸福的笑，回答道：「是的，馬爺爺。之前我一直沒有喜歡他的感覺，之前的挑逗和打趣或許是因為無聊，或許是因為好奇。但是我敢確定沒有喜歡的感覺。但是在他說出我是粽子的剎那間，我清清楚楚地感覺到我已經喜歡上他了。在我心中，似乎一直有著某種說不清的抑鬱，在他說出我是粽子的時候，那種抑鬱的感覺忽然沒有了。整個人變得……那種變化的感覺真是奇妙，我自己也形容不來。」

旁邊的馬老太太插言道：「這種感覺我能理解，也許是因為妳在夢裡是一個老頭的小妾，而妳這個小妾覺得自己從來都沒有被人珍惜、被人寵愛的機會。後來遇到這個看風水的年輕人，妳才有了這種感覺，所以覺得很舒服很享受，對嗎？」

其實不用姚小娟的回答，她的微笑已經代表她認同了馬老太太的說法。任何一個女生都希望自己被男人珍惜。

姚小娟繼續講道：「然後我們……我們就那個了……」

「然後她就醒來了。」馬老太太接著姚小娟的話說道。

爺爺點點頭。

「您能給她解釋一下嗎？這些奇怪的夢讓她煩惱不已。現在她都到了婚嫁的年齡了，我也花心思給她介紹了好幾個條件不錯的男人。可是她說這些奇怪的夢打亂了她的心情，根本不能用心去跟別人交流，總覺得在人背後做了什麼見不得人的事情。」馬老太太說道，臉上一副擔憂的樣子，相信如果可以將她的表情跟月婆婆的表情放在一起比對，兩者誰也不比誰的表情好看。

姚小娟的這種狀況也不難理解。如果這些夢只是出現一次、兩次倒也罷了，可是在固定的時間出現同樣的夢，那就讓人有些匪夷所思了，姚小娟有那種做了見不得人的事的感覺也就不足為奇了。做了這麼多次的夢，並且夢是如此的清晰，難免讓她造成真假混亂的錯覺。這肯定就會影響到她正常的談婚論嫁。

在那時的農村，女孩子到了二十三、四歲如果還沒有跟男人交往，左鄰右舍肯定會閒言閒語，要嘛覺得這個女孩子有什麼缺陷，要嘛覺得這個女孩子跟別的「野男人」好上了。這樣的閒言閒語會讓女孩子的家裡人承受巨大的壓力。所謂「眾口鑠金，積毀銷骨」正是這個樣子，所以馬老太太很著急。看來她已經聽到不少人在背後說了些類似的話了。

不過，因為這件事來找爺爺，她們註定要失望。因為那時爺爺還沒有遇見月婆婆，更無從知道月婆婆外孫的事情。

爺爺遺憾地搖了搖頭，對馬老太太和她的外孫女道：「對不起啊！這個夢確實很奇怪，其中肯定有寓意。可是我幫不上妳們。」

馬老太太聽爺爺這麼一說，急忙道：「岳雲啊，您沒有必要隱瞞我們哦！即使有什麼不好的預兆，也請您坦白告訴我們。萬一出了事，我是不會責怪您的。我知道，有些聽到了不好的預兆，出了事之後自己不反省，反而責怪說話的人烏鴉嘴。我不是這樣的人。」馬老太太急得抓住爺爺的手，像是絕境中的人死死抓住一根救命稻草。

可是爺爺抱歉地搖搖頭，對馬老太太道：「這個我知道。但是不是我不說，是我真的說不出什麼來。您放心啊！很多夢雖然奇怪，但是並不代表什麼。不過我可以答應您，如果以後我遇到什麼事情跟您外孫女一樣的，我一定會告訴您。」

馬老太太不是月婆婆那樣非常能糾纏的人。她聽了爺爺的話，嘆了一口氣，轉頭反而安慰姚小娟道：「小娟啊！妳馬爺爺是個直腸子的人，他說的話可靠。看來我們今天是不會有什麼收穫了，只能以後再找機會。」

姚小娟似乎剛從夢境中醒悟過來，臉上那種兩情相悅的神情頓時消失不見，眼角沁出兩滴淚水來，聲音降低了：「是嗎？難道我還要受這奇怪的夢纏繞？這樣的日子還要持續多久啊？」

爺爺安慰道：「孩子，不要傷心。也許是上輩子妳經歷了太多，到這輩子還念念不忘。其實，很多事情都是受妳自己影響的，妳心裡試著放下看看，也許有效果。」

「上輩子的經歷？」姚小娟一驚，淚水還在眼眶裡顫顫的，「夢裡的情景都是我上輩子經歷過的嗎？」

爺爺淡然一笑道：「我也只是隨便說說。既然這些夢影響了妳的心情，妳就學著放開一點好了。馬爺爺我實在是參不透妳的夢啊！」說完，爺爺轉頭看了看灶裡的火苗，火苗忽然騰的一下呼呼地燃燒起來。

爺爺又道：「人的前世就像這木柴，經過燃燒之後就只剩一堆灰燼。但是這堆灰燼撒到土地裡後，又會長出一棵樹來。妳的這些夢，也許就是燃燒後留下的灰燼吧！」

「灰燼？」姚小娟愣愣地看著火苗，努力地去理解爺爺的話。「那些夢是灰燼？」她的眼睛似乎要穿過火苗，看到木柴被火苗燎燃，然後裂開、變黑、萎縮，最後變成另外一種狀態的過程。

35

爺爺見姚小娟陷入癡迷的狀態，急忙勸慰道：「孩子，我這也只是打個比方而已，未必就是正確的。妳不要想太多了。」

雖然這次爺爺除了傾聽之外沒有幫上什麼忙，但是爺爺已經將姚小娟說的夢中那個男人的姓氏和生辰八字牢牢地記在了心裡。並且，後來爺爺根據那個生辰八字算出了那個夢中人的命運：「身寒骨冷苦伶仃，此命推來行乞人，勞勞碌碌無度日，終年打工過平生。此命推來骨格輕，求謀做事事難成，妻兒兄弟應難許，別處他鄉做散人。」

我知道，爺爺是按照稱骨法來測算姚小娟夢中人的命運的。但是稱骨法只是一個比較粗略的演算法，要想算得更細緻一些，還得用大宗生辰八字的演算法。就像我在學校做物理實驗一樣，測量東西的時候首先有個粗測，粗測之後才有精測。

但是再怎麼說，那個男人不過是在姚小娟的夢裡出現而已，並不是現實存在的人。所以爺爺粗算他的命運也只是出於平時的習慣而已，並非有什麼別的企圖，更不會花精力去細細研究他的命運。

這件事情，就這樣被擱置了許久。

雖然後來馬老太太逢年過節又來過爺爺家數次，但是爺爺並沒有意外的驚喜送給她。爺爺從馬老太太的口裡得知，她的外孫女還是受那幾個奇怪的夢困擾。姚小娟仍然對相親提不起興致。

直到那個大年初五的晚上在李樹村遇到了月婆婆，爺爺一聽月婆婆說出的外孫的生辰八字，立即想到了姚小娟夢裡的那個男人。因為，月婆婆說出的生辰八字跟姚小娟說出的生辰八字一模一樣！

雖然說姚小娟夢境的背景應該是舊時代，但是按照農曆的干支紀年排列法，六十年為一個輪迴。也就是說，如果有兩個人的「八字」中表示年份的兩個字相同，那麼他們的年齡差距剛好是六十年。這跟能見到哈雷彗星的週期差不多。

這沒有什麼稀奇的，因為活到六十歲的大有人在，那麼「八字」中的前兩個字相同並不鮮見。但是要想八個字都相同，那就會令人目瞪口呆了！一個人跟另一個人不但在「同樣的年份」出生，還要在「同一個月份，同一個日子，同一個時辰」出生，那可就是難上加難了！

前面之所以說稱骨法是個比較粗略的演算法，是因為它根據千變萬化的生辰八字總結出五十一種命運。也就是說，無論生辰八字有多少種組合，最後歸納於五十一類。

但是這五十一類的每一類都包括了許多生辰八字，如果這許多生辰八字中有兩個人完全一樣，那個算命的人肯定會大吃一驚。再嚴謹的算命先生也會形色改變。

爺爺自然也不例外。所以他在那個晚上才有那樣出人意料的舉動。特別是當爺爺將月婆婆的外孫的姓氏「猜」出來之後，驚恐的心理自然更是強烈。當時爺爺還詢問了月婆婆，她外孫的大腿內側是不是有一大塊紅色的胎記，這就讓我匪夷所思了。

媽媽聽了爺爺的敘述，但是沒有想到問胎記的事情。如果當時在爺爺身邊的人是我，我肯定軟磨硬泡都要問出來。

媽媽聽爺爺講完姚小娟的夢，詢問爺爺道：「難道你覺得月婆婆的外孫就是姚小娟夢裡的男人？」

爺爺微微點頭。

媽媽輕輕推了推爺爺，道：「就算月婆婆的外孫是姚小娟夢裡的男人，那也只是在夢裡的事情罷了。你為什麼要拒絕給他算姻緣呢？」想了想，媽媽又問道：「雖然生辰八字要一模一樣確實特別特別難，但是碰巧的事情並不是從來沒有發生過。你應該問問姚小娟，問問她夢裡的男人長什麼樣子，是不是跟月婆婆的外孫長得一樣。」

爺爺剛要發表意見，媽媽又猛然醒悟一般拍了拍自己的腦袋，笑罵道：「你看看我這腦袋裡都想些什麼？既然生辰八字可以一模一樣，那麼夢到的人跟現實中一樣也沒有什麼值得奇怪了。也許是姚小娟以前碰到過他，對他的記憶深刻，才會把印象帶到夢裡去。」

「妳說得對。」爺爺道，「不過這一切都這麼巧合的話……」

「你一定不會相信自己的眼睛和耳朵，是吧？」媽媽搶先將爺爺的心思說了出來。

爺爺咬著嘴唇道：「妳說的話讓我清醒了一些。我看我應該見月婆婆的外孫一面才好。我親自問一問他，並且在他不知道的情況下看看他的面相。」

媽媽嘆口氣，給爺爺捶著後背，輕聲細語道：「不是我要說你老人家，你已經上了年紀啦，多花花心思給自己養身體吧！少給別人家操空頭心。」

爺爺突然流露出傷感的神色來，有意無意道：「唉……妳母親活著的時候也經常這樣勸我。時間真快啊！現在我跟她陰陽兩隔了……」

媽媽見爺爺情緒不對，急忙改口說：「這樣吧！我想辦法找到月婆婆的外孫，讓你跟他見上一面。畢竟……畢竟你答應了馬姑姑的。」按照媽媽的輩分，她叫馬老太太為「馬姑姑」。

這一招還真有些效果，爺爺的思緒被轉移到眼前的事情上來了。他微微頷首，道：「如果妳能避開月婆婆找到她外孫更好。暫時不要讓她知道，不然她肯定會擔心的。現在她只會以為我小氣，不願意給她算命。」到了這種時候，爺爺還想著別人。

要找到月婆婆的外孫不難，這方圓百里每個村都跟另外的村扯著血緣關係，像一個蜘蛛網，雖然雜亂，但是牽動一處便會驚動全部。媽媽很快找到了爺爺想見的人。

媽媽雖然沒有爺爺那樣會看相，但是粗略的還是稍稍懂得一些。媽媽說，那個人給她的第一印象就不怎麼好。下眼瞼向上彎，田宅宮凹陷，且長期像有淚光浮現，目光似笑非笑，這樣的眼相不是桃花劫就是桃花殺，是蕩婦的典型面相。它卻偏偏長在一個大男人的臉上，難怪他要跟那個女人發生不堪的事來。

湖南同學突然停住了，好像忽然想起什麼事情似的，說道：「哎，我還有點別的事沒做完。明天再跟你們講吧！」

那個想問胎記的同學還沒來得及詢問，湖南同學就已經急匆匆地出去了。

國家圖書館出版品預行編目資料

借胎還魂 / 童亮著.
——第一版——臺北市：宇河文化 出版；
紅螞蟻圖書發行，2015.12
面　公分——(每個午夜都住著一個詭故事；11)

ISBN 978-957-456-001-1（平裝）

857.63　　104009270

每個午夜都住著一個詭故事 11
借胎還魂
作　　者／童　亮
發 行 人／賴秀珍
總 編 輯／何南輝
執行編輯／韓顯赫
美術構成／Chris' office
校　　對／楊安妮、朱慧蒨
出　　版／宇河文化出版有限公司
發　　行／紅螞蟻圖書有限公司
地　　址／台北市內湖區舊宗路二段121巷19號（紅螞蟻資訊大樓）
網　　站／www.e-redant.com
郵撥帳號／1604621-1　紅螞蟻圖書有限公司
電　　話／(02)2795-3656（代表號）
傳　　真／(02)2795-4100
登 記 證／局版北市業字第1446號
法律顧問／許晏賓律師
印 刷 廠／卡樂彩色製版印刷有限公司
出版日期／2015年12月　第一版第一刷

定價 160 元　港幣 54 元

ISBN 978-957-456-001-1　　Printed in Taiwan